W9-BVY-516

# LUGARES ENIGMÁTICOS

*Dirección Editorial:* Julián Viñuales, Juan María Martínez.
*Coordinación editorial:* Juan Ramón Azaola.
*Dirección técnica:* Miguel Carod, Eduardo Peñalba.
*Coordinación técnica:* Pilar Mora, Rolando Días.
*Edición:* Raquel Medina, Luis García, Marta Carranza,
Lorenzo Sacasa, Pat Daniels, Anne Horan.
*Diseño y Documentación gráfica:* Jose María Sáez de Almeida,
Herbert H. Quarmby, Luisa Mª Fernández-Pacheco.
*Versión castellano:* Marge Design Editors.
*Administración general:* Iñigo de Castro, Marta Arenas.
*Suscripciones:* Francisco Perales.

ISBN 0-7835-0368-7
Impreso en los Estados Unidos de América
R 10 9 8 7 6 5 4 3 2 1

# LUGARES ENIGMÁTICOS

# ÍNDICE

Atlántico, el continente de la Atlántida continúa siendo uno de los enigmas más sorprendentes de la historia. Si es cierto que existió, la Atlántida fue una civilización como no ha habido nunca otra igual. Sin embargo, sus historiadores dicen que desapareció en menos de un día sin dejar ningún rastro.

Las únicas noticias de la grandeza y decadencia de esta isla provienen del filósofo griego Platón, que vivió en el siglo IV a.C. Según la descripción de Platón –ver ilustración de la izquierda y páginas 15 a 17– la Atlántida era un país en el que sus agricultores crearon bellos jardines de flores donde habitaban animales e incluso «familias de elefantes». En la capital había innumerables mansiones cuya grandeza sólo superaban el palacio real y el templo construido en honor de Poseidón. Pero ni el oro ni la gloria pudieron salvar a los atlantes de sí mismos. Su materialismo, escribió Platón, ofendió profundamente a los dioses y su civilización fue condenada a desaparecer de un modo rápido y espectacular.

La Atlántida ha sido relacionada con otros lugares misteriosos, como las pirámides de Egipto y las piedras de Stonehenge. A diferencia de estos monumentos, sin embargo, la isla que describe Platón no es más tangible que la memoria o los sueños. Pero mucha gente cree que los tesoros de plata, cobre y oro del continente hundido aún relucen en el fondo del mar a la espera de que alguien los encuentre. Algún valiente aventurero rescatará quizás algún día las legendarias tablas de oro en las que están grabadas las leyes del paraíso terrenal.

---

*Rodeados de animales salvajes que nada temían de los seres humanos, los atlantes disfrutan de un clima suave y de una vida de ocio paseando entre los jardines de una gran mansión.*

# Una ciudad de incomparable esplendor

Entre las innumerables maravillas de la Atlántida de Platón se encuentra el recinto del palacio. Construido sobre una colina en el centro de la capital y rodeado por tres canales, los edificios que forman la residencia real comunican con un patio donde se halla el templo de Poseidón. El complejo fue erigido por Atlas, hijo mayor de Poseidón y el primer gran rey de la Atlántida. Pero los soberanos que le sucedieron en el trono no se contentaron con dejar el palacio como lo encontraron. «Cada rey que habitaba el palacio –escribió Platón– añadía más motivos decorativos, superando a los reyes anteriores, hasta que lo convirtieron en una residencia asombrosa por su magnitud y la belleza de su arte.»

Los visitantes del palacio *(derecha)* entraban por una larga avenida que atravesaba los tres canales, cruzando porticones que abrían tres murallas, una de estaño, una de latón y otra de cobre que «relucía como el fuego» situada más al interior. Entre los límites de estas brillantes paredes se hallaban las residencias de la aristocracia: mansiones de piedras blancas, negras y rojas del propio país. Es imposible describir con palabras la grandeza que imperaba por todas partes. «La riqueza que poseían –escribe Platón acerca de los monarcas de la Atlántida– era tan inmensa que nunca se ha visto ni se verá nada igual en ninguna casa real.»

# Sabiduría, más allá de la mortalidad

El centro espiritual de la Atlántida era el templo de Poseidón, un magnífico edificio situado en el corazón del recinto del palacio. Aquí, los gobernantes del continente se reunían para elaborar las leyes.

El templo era una prueba deslumbrante de la habilidad con que los atlantes trabajaban el metal. Rodeado por una pared de oro, el exterior del edificio estaba, según Platón, «cubierto de plata, excepto los pináculos, que estaban cubiertos de oro. En el interior, el techo era de marfil con incrustaciones de oro, plata y cobre, y las paredes, las columnas y el suelo estaban cubiertos de cobre». Una inmensa estatua de Poseidón conduciendo seis corceles alados, con relucientes ninfas marinas en la base, dominaba la sala central del templo.

El gran rey de la Atlántida y sus nueve hermanos, príncipes de las otras nueve provincias, se reunían cada cinco o seis años en esta impresionante sala *(derecha)*. Después de sacrificar un toro y de ofrecerlo a los dioses, los gobernantes, vestidos con túnicas oscuras, se reunían alrededor de las brasas y discutían las leyes, que escribían en unas tablas de oro. Sabiamente gobernado, el pueblo de la Atlántida vivía en armonía. «Durante muchas generaciones –escribió Platón– fueron personas amables y sensatas, de corazón noble y generoso.»

# El paraíso perdido

Miles de años después de que, según parece, se hundiera en las frías y oscuras aguas del océano Atlántico, el continente de la Atlántida continúa siendo uno de los enigmas más sorprendentes de la historia. Si es cierto que existió, la Atlántida fue una civilización como no ha habido nunca otra igual. Sin embargo, sus historiadores dicen que desapareció en menos de un día sin dejar ningún rastro.

Las únicas noticias de la grandeza y decadencia de esta isla provienen del filósofo griego Platón, que vivió en el siglo IV a.C. Según la descripción de Platón –ver ilustración de la izquierda y páginas 15 a 17– la Atlántida era un país en el que sus agricultores crearon bellos jardines de flores donde habitaban animales e incluso «familias de elefantes». En la capital había innumerables mansiones cuya grandeza sólo superaban el palacio real y el templo construido en honor de Poseidón. Pero ni el oro ni la gloria pudieron salvar a los atlantes de sí mismos. Su materialismo, escribió Platón, ofendió profundamente a los dioses y su civilización fue condenada a desaparecer de un modo rápido y espectacular.

La Atlántida ha sido relacionada con otros lugares misteriosos, como las pirámides de Egipto y las piedras de Stonehenge. A diferencia de estos monumentos, sin embargo, la isla que describe Platón no es más tangible que la memoria o los sueños. Pero mucha gente cree que los tesoros de plata, cobre y oro del continente hundido aún relucen en el fondo del mar a la espera de que alguien los encuentre. Algún valiente aventurero rescatará quizás algún día las legendarias tablas de oro en las que están grabadas las leyes del paraíso terrenal.

---

*Rodeados de animales salvajes que nada temían de los seres humanos, los atlantes disfrutan de un clima suave y de una vida de ocio paseando entre los jardines de una gran mansión.*

# Una ciudad de incomparable esplendor

Entre las innumerables maravillas de la Atlántida de Platón se encuentra el recinto del palacio. Construido sobre una colina en el centro de la capital y rodeado por tres canales, los edificios que forman la residencia real comunican con un patio donde se halla el templo de Poseidón. El complejo fue erigido por Atlas, hijo mayor de Poseidón y el primer gran rey de la Atlántida. Pero los soberanos que le sucedieron en el trono no se contentaron con dejar el palacio como lo encontraron. «Cada rey que habitaba el palacio –escribió Platón– añadía más motivos decorativos, superando a los reyes anteriores, hasta que lo convirtieron en una residencia asombrosa por su magnitud y la belleza de su arte.»

Los visitantes del palacio *(derecha)* entraban por una larga avenida que atravesaba los tres canales, cruzando porticones que abrían tres murallas, una de estaño, una de latón y otra de cobre que «relucía como el fuego» situada más al interior. Entre los límites de estas brillantes paredes se hallaban las residencias de la aristocracia: mansiones de piedras blancas, negras y rojas del propio país. Es imposible describir con palabras la grandeza que imperaba por todas partes. «La riqueza que poseían –escribe Platón acerca de los monarcas de la Atlántida– era tan inmensa que nunca se ha visto ni se verá nada igual en ninguna casa real.»

# El día del terrible castigo

Cuando la Atlántida lcanzó su máximo esplendor, 9.200 años ntes de Platón, la isla imperial dominaba mayor parte del Mediterráneo. «En quella época –afirmaba Platón– parecían nmensamente justos y piadosos. Sin embargo, la ambición y el deseo de poder de os atlantes no tenía límites.»

La lujuria se apoderó de ellos. El deeo de riqueza empezó a tener más valor ue la bondad. «La divinidad que poseían ra una llama cada vez más débil que se ba extinguiendo», decía Platón. Los atlanes, «incapaces de soportar el peso de sus osesiones», perdieron la virtud. Se dedicaon entonces a recoger armas para conquistar Atenas y los territorios del este.

Pero Zeus, rey de los dioses, descargó u rabia y los castigó de un modo inimaginable. «Se sucedieron terremotos e inundaiones espantosos –escribió Platón– hasta que un terrible día la isla de la Atlántida ue tragada por el mar y desapareció.» Platón duda de que pueda encontrarse ningún vestigio de la isla perdida. «El océano es un lugar impenetrable e infranqueable», scribió Platón.

# CAPÍTULO PRIMERO

# La Atlántida: La búsqueda eterna

El 12 de abril de 1939, un hombre de 62 años cayó en estado de trance y habló de los últimos días de un mundo perdido. Aunque sus ideas eran inconexas, su significado era tan claro como sobrecogedor. «En la Atlántida –dijo–, cuando la tierra desapareció, surgió la llamada tierra de los mayas o lo que ahora es Yucatán; la entidad fue la primera que cruzó el mar en una aeronave.»

Este hombre era Edgar Cayce, conocido como el profeta dormido porque siempre que tenía visiones entraba en un estado de aparente estupor. Durante dos décadas, este vidente americano, enigmático e iletrado, asombraba a sus oyentes con declaraciones detalladas sobre la legendaria isla-continente de la Atlántida. Considerado como un gran clarividente y curandero de talento, Cayce se refirió a un antiguo lugar que desapareció bajo el océano y cuyos habitantes inventaron maravillosos artilugios técnicos como no se han visto hasta el siglo XX. Habló de los hombres y mujeres que, en anteriores encarnaciones, habitaron este continente desaparecido. Contó cómo los sobrevivientes del cataclismo final se dispersaron –algunos a bordo de una aeronave– para divulgar sus conocimientos y descubrimientos a todos los rincones del mundo.

Para estar seguro, Cayce pintó un cuadro increíble. Como uno de sus hijos diría más tarde acerca de la Atlántida: «Son los relatos más fantásticos, extraños e increíbles de todos los de Cayce.» Otro hijo suyo, llamado Edgar Evans Cayce, lo expuso de un modo diferente y más optimista. «Hasta que no se demuestre algún día la existencia de la Atlántida –admite–, Edgar Cayce está en una posición muy poco envidiable. Por otra parte, si consigue demostrar su existencia con exactitud puede convertirse en un historiador y arqueólogo famoso.»

Por muy improbables que parezcan, los relatos de Cayce acerca de la Atlántida no pueden dejar de fascinar. El continente perdido continúa formando parte de la herencia de la humanidad, una tierra que ha seducido a filósofos y poetas, historiadores y escritores, científicos y aventureros durante más de dos milenios, desde que el filósofo griego Platón la describió en su obra 355 años antes de Cristo. La historia de la Atlántida hablaba a cada generación del poder y la sabiduría de la antigüedad. Es una descripción del Edén, de un paraíso que descansa ahora en las profundidades del dragón marino. La ambición humana puede saltar de la Tierra a la Luna y a los planetas e incluso a las estrellas más lejanas, pero los recuerdos de este maravilloso continente persisten y no sólo en las extrañas revelaciones de Edgar Cayce.

El mundo está lleno de lugares, regiones y monumentos misteriosos que excitan la imaginación y hacen especular acerca de su origen y su finalidad. Algunos de estos lugares, como la Atlántida y las secretas entrañas de la Tierra, son invisibles y existen sólo en la mente de quienes creen; otros pueden observarse, pero son inescrutables. Así, la Gran Pirámide de Keops en Gizeh, monumento a un dios rey egipcio, aunque quizás tenga un significado más profundo. Están también las columnas y los impresionantes arcos de Stonehenge en Gran Bretaña, construidos por manos desconocidas para seguir el ciclo del Sol, pero que posiblemente tengan también algún otro significado. En el desierto de la costa de Perú, unas largas líneas y enormes figuras de animales y criaturas humanas han sido grabadas en la tierra, dibujos que sólo pueden verse enteros desde un lugar elevado. ¿Qué significan? ¿Cómo podían sus creadores contemplar los dibujos enteros?

Estos dibujos, monumentos y lugares han recibido a menudo interpretaciones diferentes, imaginativas y racionales, poéticas y científicas. Continúan siendo sugestivos tanto para el escéptico como para el creyente, para el charlatán como para el auténtico curioso. De todos estos lugares místicos, el más enigmático –donde para mucha gente está el origen de casi todos los otros misterios– es el continente perdido de la Atlántida. Objeto de más de 2.000 libros y de numerosos artículos y poemas, la Atlántida ha sido situada en una larga lista de lugares y regiones del mundo, desde la mayor parte de los océanos y continentes hasta el Atlas, la cadena montañosa del norte de África, desiertos como el Sahara, islas como Malta en el Mediterráneo y Bimimi en el Caribe, ciudades como Cartago en el Golfo de Túnez y Cádiz en el sudoeste de España. La supuesta civilización de la Atlántida, desaparecida hace ya tiempo, ha sido motivo de inspiración de numerosas civilizaciones conocidas, incluyendo la helénica de Grecia, la de los mayas y los incas en el Nuevo Mundo e incluso la del antiguo Egipto. También se la ha relacionado con las grandes culturas de dos supuestos continentes perdidos, Mu y Lemuria.

Las primeras noticias de la Atlántida provienen de Platón, el gran pensador griego que vivió aproximadamente desde el año 428 hasta el 348 a.C. Discí pulo del filósofo Sócrates, Platón formó su propia escuela de filósofos en Atenas. Su obra está escrita en forma de diálogos en los que su primer maestro, Sócrates, es el personaje principal. Es el caso de *La República*, diálogo en el que Sócrates y sus interlocutores discuten la forma ideal de gobierno, un despotismo suave de reyes filósofos.

Aparentemente, Platón intentó persuadir al soberano de Siracusa (Sicilia) para que adoptara su filosofía política, pero fracasó. Más tarde, escribió otros diálogos que continuaban el tema iniciado en *La República*. En *Timeo* y *Critón*, escritos alrededor del año 355 a.C., cuando Platón tenía unos setenta años, aparece la primera descripción del continente perdido.

El Timeo de Platón, uno de los personajes en *La República,* era astrónomo; la mayoría de los diálogos en boca de este personaje tratan de la naturaleza y sus orígenes. Este diálogo tiene lugar el día siguiente en que acaban los diálogos de *La República;* antes de que Timeo hable de ciencias naturales, otro ilustre interlocutor, Critón el historiador, afirma conocer un lugar donde la forma de gobierno fue la misma que propone *La República*. Critón conoce la historia de este lugar pri-

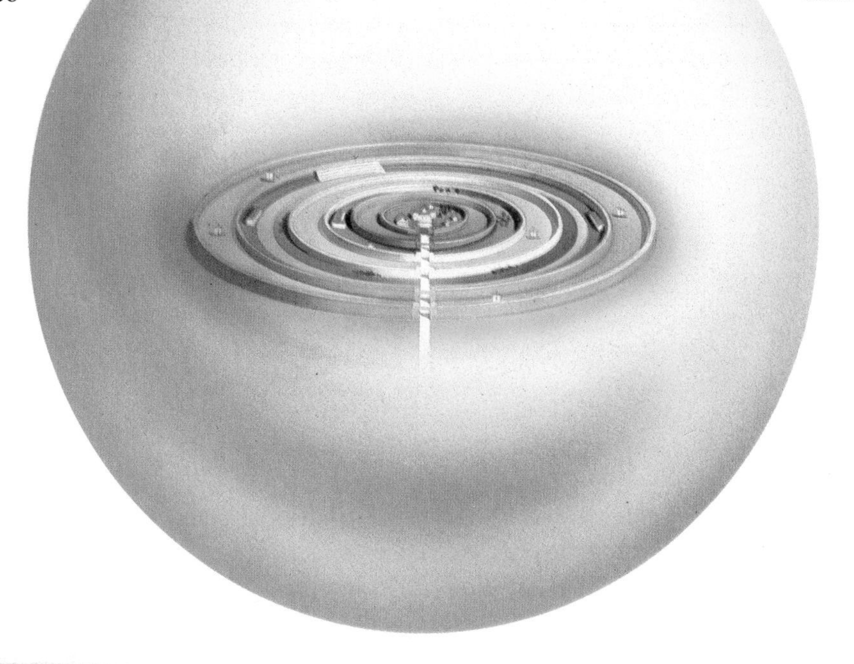

vilegiado por boca de familiares suyos y por unas notas que escribió el estadista griego Solón, que había oído hablar de él un siglo y medio antes a los sacerdotes egipcios.

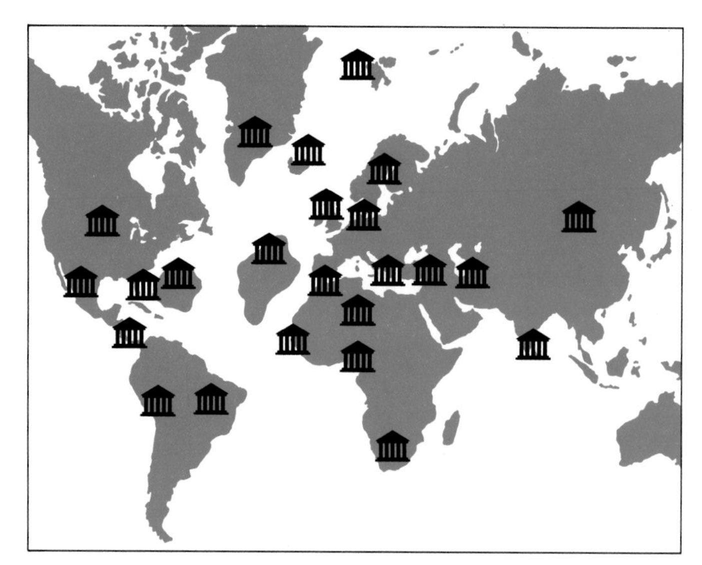

*Buscadores de la Atlántida –llevados por motivos tan dispares como la curiosidad científica o el nacionalismo– han creído encontrar pruebas de la isla en numerosos lugares, como muestra este mapa.*

Según los egipcios, el lugar que coincidía con el ideal de *La República* no era otro que Atenas. Pero 9.000 años antes hubo otra Atenas. Allí, Atenea, diosa de la sabiduría, fundó una ciudad en la que se formaron «hombres llenos de sabiduría» y de coraje. Más allá de las Columnas de Hércules (el Estrecho de Gibraltar) había una isla amenazadora más grande que el norte de África y Asia Menor juntas, es decir, un continente casi tan grande como el resto del mundo tal como se conocía en la época de Platón. En esta isla surgió «un imperio grande y maravilloso». Se llamaba la Atlántida y sus reyes habían extendido su influencia por todo el Mediterráneo, parte de Italia y Egipto. Los atlantes ansiaban dominar todo el mundo. Entonces, los soldados atenienses vencieron a los ejércitos de la Atlántida en una gran batalla y los jefes de la ciudad liberaron todos los pueblos al este de las Columnas de Hércules. Pero poco después de esta gloriosa victoria hubo violentos terremotos e inundaciones que destruyeron la primera ciudad de Atenas y sumergieron el continente de la Atlántida bajo el mar, todo ello en el devastador periodo de una noche y un día.

Estas catástrofes, informaron los sacerdotes egipcios a Solón, ocurrían con frecuencia. Pero los griegos habían perdido todo rastro acerca de su historia. Egipto, debido a las regulares inundaciones del río Nilo, estaba protegido contra tales desastres; por este motivo, todavía recordaba antiguos cataclismos. Después de esta guerra, la Atlántida se convirtió en una parte lamentable de la historia. Pero Critón, en su diálogo, consigue recordarlo y describir la Atlántida con detalle. Además, la cantidad y la calidad de información que proporciona *Critón* hace que el relato de Platón sea creíble. La descripción de Critón está llena de detalles sobre arquitectura e ingeniería que difícilmente hubieran sido necesarios si Platón sólo hubiera pretendido escribir una leyenda o una parábola para ilustrar su filosofía. Además, Platón adornó el diálogo de *Critón* con referencias poco usuales a esta historia, tales como «la verdad de los hechos» y una «historia genuina». Solón, que supuestamente llevó la historia hasta Grecia, fue un personaje real que visitó Egipto como estadista. Te niendo en cuenta todo esto, Platón se esforzó para que su historia sobre la Atlántida pareciera cierta a sus lectores, certeza que ha constituido un desafío durante más de 2.000 años.

Hoy, por supuesto, poca gente cree en Poseidón, el dios griego del mar, ni en ninguno de los dioses griegos. Pero cuando Critón reanuda el relato de la Atlántida habla con toda naturalidad en términos de origen divino. En otros tiempos, explica, cuando los dioses se repartieron la tierra, Poseidón escogió el continente más generoso y prometedor, junto con las islas que lo rodeaban, que más tarde sería conocido como la Atlántida. Allí, su esposa, llamada Cleito, tuvo cinco partos dobles; el primer hijo se llamó Atlas y dio nombre al continente y al océano que lo rodea.

Poseidón dividió la Atlántida en diez partes, concedió a Atlas la parte más grande y rica y le nombró soberano de sus hermanos, a los que nombró gobernadores de las otras provincias. La Atlántida era una tierra de generosas mesetas y grandes bosques ricos en flora y fauna que incluía grandes manadas de elefantes. La tierra estaba llena de filones de oro, plata y otros metales preciosos, incluyendo uno muy extraño llamado oricalco, un tipo de cobre del que Platón decía que «relucía como el fuego». En el extremo sur del continente, los reyes construyeron una ciudad magnífica como correspondía al enorme poder que esta tierra tan rica pronto adquirió. Esta ciudad, llamada también Atlántida, estaba formada por anillos concéntricos de tierra y canales.

En el centro, en una colina donde Poseidón y Cleito concibieron a su hijo Atlas y su hermano gemelo, los atlantes erigieron un gran templo a Poseidón, con una estatua del dios conduciendo un carro de oro a través del mar en compañía de delfines. En la ciudad había manantiales de agua fría y caliente, algunos para los reyes, otros para los habitantes y algunos incluso para los animales de car-

*El interior de la ciudad de la Atlántida tal como lo describió Platón, representado en este dibujo esquemático, tenía forma de anillo: se extendía desde una colina a través de tres cinturones de agua y dos de tierra. Atravesando los canales, una avenida comunicaba el interior con el de la ciudad.*

# Del mito a la realidad

Como la historia de la Atlántida, el relato de la destrucción de Troya se consideró durante mucho tiempo como un mito. Los poemas épicos que describen la ciudad, la *Ilíada* y la *Odisea* de Homero, son antiguos; el gran poeta griego los escribió antes del año 700 a.C. Aunque antiguamente los griegos leían las obras de Homero como si fueran libros de historia, más tarde los helenistas les otorgaron el rango de literatura concebida en una época de fantasía.

Heinrich Schliemann, un millonario del siglo XIX, aficionado a la arqueología y soñador, demostró que los helenistas estaban equivocados. Obstinado y romántico, este hombre de negocios alemán *(derecha)* estaba convencido de que Homero decía la verdad acerca de Troya. Al final de 1860, Schliemann decidió que la ciudad turca de Hissarlik, conocida por sus elevaciones de tierra parecidas a una fortaleza, coincidía con la escena de la *Ilíada*. En 1871 empezó a excavar.

Pronto descubrió que bajo los terraplenes de Hissarlik había una ciudad. De hecho, encontró diversos estratos de una ciudad antigua, uno encima de otro. Y una de las capas, arrasada por el fuego, se parecía mucho a la Troya de Homero.

La excavación alcanzó el clímax una mañana del verano de 1873.

Este día, Schliemann encontró collares, pendientes y platos de oro, junto con otros muchos objetos. Puso la pieza más espectacular, una diadema de oro, en la frente de su esposa, Sofía *(arriba, a la derecha),* y grabó el nombre de «Helena».

El descubrimiento de Schliemann le hizo famoso. Otros arqueólogos han confirmado que la ciudad que desenterró es probablemente Troya, aunque una Troya que sufrió muchos cambios a través de los siglos. Este mito convertido en realidad gracias al millonario alemán continúa siendo motivo de esperanza para los idealistas que buscan pruebas de la Atlántida, la otra leyenda griega.

*Soldados griegos arrastran el regalo traicionero, un caballo de madera lleno de guerreros, hasta las puertas de Troya (izquierda) en este cuadro del siglo XVIII pintado por G.D. Tiepolo.*

ga. Los anillos exteriores tenían un hipódromo y las casas de los ciudadanos. Los puertos interiores estaban llenos de navíos de guerra.

Durante generaciones, los diez reyes gobernaron sus respectivas tierras cumpliendo siempre las leyes establecidas tiempo antes por Poseidón. Cada cinco o seis años, los monarcas se reunían y celebraban una larga y compleja ceremonia en la que sacrificaban un toro salvaje que había sido capturado con un lazo y esparcían su sangre por las sagradas columnas de bronce del templo. Después, los reyes se ponían unas túnicas negras y discutían las infracciones cometidas entre los reinos desde la última asamblea. Las decisiones de estas deliberaciones quedaban inscritas en unas tablas de oro.

No pasó mucho tiempo antes de que la Atlántida –tierra de riqueza, fuerza y armonía interna– empezara a extender su poder. Pero al mismo tiempo, el carácter divino y virtuoso de su población empezó a debilitarse con el paso de los años. «La naturaleza humana –afirma Critón– se adelanta.» Los atlantes empezaron a exhibir cualidades menos decorosas: una ambición desenfrenada, la codicia y la avaricia crecieron entre sus habitantes y gobernantes. Dándose cuenta de que una «raza honorable pasaba por una crisis lamentable», decía Critón, Zeus convocó a los dioses para decidir qué castigo debían infligir a la Atlántida. «Y cuando estuvieron todos reunidos, les habló de la siguiente manera.»

Aquí se detiene Critón. Por razones desconocidas, Platón finalizó la historia de la Atlántida antes de explicar los detalles –sólo los expone de manera superficial en el primer diálogo de Timeo– de la guerra con los atenienses y de relatar el terrible terremoto y las inundaciones que hundieron el continente bajo las profundidades marinas.

A pesar de los esfuerzos de Platón para que la Atlántida parezca real, su descripción pronto fue motivo de controversia. Hasta su discípulo Aristóteles afirmaba que Platón se había inventado la historia de la Atlántida y la catástrofe del continente por conveniencia literaria. Durante los siglos posteriores, los estudios realizados en Occidente se basaron en los textos de los grandes pensadores de la antigüedad y generalmente los filósofos pertenecían a la escuela del pensamiento aristotélico o platónico. Los seguidores de Platón afirmaban que la historia de la

Atlántida era cierta, mientras que los seguidores de Aristóteles defendían el punto de vista contrario y sostenían que el continente perdido era un mito.

Aun así, era fácil creer que tiempo antes había existido un país misterioso en las aguas del Atlántico. Los mares más allá del Estrecho de Gibraltar eran desconocidos y, tanto en la mente de los hombres como en los mapas, estaban llenos de peligrosos arrecifes y bajos, por no mencionar las extrañas y peligrosas criaturas que los poblaban. Había muchos otros relatos sobre tierras como la Atlántida –Ogygia en los poemas épicos de Homero, por ejemplo– que daban crédito a la descripción del continente perdido de Platón. Quienes creían en él encontraban evidencias por todas partes en los textos antiguos. Por ejemplo, en un comentario improvisado sobre la distribución geográfica de las focas, un naturalista romano del siglo II, llamado Claudio Eliano, escribió que la familia real de Macedonia, como el rey de la Atlántida, había llevado unas cintas en la cabeza adornadas con el dibujo de una foca. Parece ser que los macedonios, reales y corpóreos, habían adoptado este emblema para no ser menos que los igualmente auténticos atlantes.

Durante el período conocido como la Edad Oscura, sin embargo, los investigadores europeos no se preocuparon de los temas mundanos sino que fijaron su atención en la teología y en los asuntos de la Iglesia. La Atlántida fue, durante muchos siglos, un tema de poca importancia. Pero durante el Renacimiento, muchos pensadores volvieron a los textos clásicos de Grecia y Roma y, una vez más, se encontraron con la Atlántida. Mientras tanto, los navegantes exploraban el gran océano hacia el oeste. A veces, sus viajes se convertían en leyendas. Durante el siglo XIII el monje irlandés San Brandán navegaba hacia el oeste en busca del paraíso cuando supuestamente encontró monstruos marinos y seres demoníacos, y descubrió las islas Blest, que ocuparon diferentes lugares en los mapas durante generaciones. Cuando Colón se hizo a la mar, los cartógrafos habían situado en el océano Atlántico numerosas islas reales e imaginarias, entre ellas Avalon, la isla legendaria donde se dice que huyó el rey Arturo después de recibir heridas mortales en la batalla de Camlan. Muy cerca estaban las Azores y las Canarias, a sólo unas pocas millas de la costa del norte de África; algunos investigadores creen que estas islas pueden ser los restos montañosos de una tierra sumergida.

Cuando los europeos tomaron conciencia del Nuevo Mundo, las Américas se convirtieron rápidamente en las principales candidatas donde situar la Atlántida. Un español, Francisco López de Gomara, fue el primero que sugirió la idea en 1553, y Sir Francis Bacon la adoptó cuando escribió *La Nueva Atlántida*, una novela utópica. Pero la búsqueda de los orígenes de la Atlántida prosiguió, a menudo con la mentalidad chauvinista característica del creciente nacionalismo europeo. En 1675, Olof Rudbeck, un pensador sueco, utilizó la ruta de Homero hacia Ogygia y localizó la Atlántida en Suecia. El poeta inglés William Blake creía que el rey Albión de la Atlántida guió sus últimos súbditos a Bretaña, donde se convirtieron en druidas. Los antiguos egipcios, godos y escitas eran considerados como evadidos del castigo de la Atlántida y el descubrimiento de ojos azules y cabellos rubios entre algunos beréberes de África hizo que algunos la situaran en las montañas del Atlas, situadas en Marruecos y Tunicia. El continente paradisíaco también fue identificado como parte de una serie de puentes de tierra que atravesaban el Atlántico e incluso se extendían por el Pacífico hasta Nueva Zelanda.

A medida que el tiempo pasaba y los conocimientos de geografía eran más amplios, estas suposiciones empezaron a parecer inverosímiles. Incluso los discípulos de Platón tenían sus dudas. En 1841, el investigador francés T. Henri Martin escribió un comentario acerca del *Timeo* y consideró que la Atlántida era pura ficción. La geografía de Europa, Asia y África, señaló, no mostraba ninguno de los profundos efectos que hubiera provocado la desaparición de una masa de tierra como la Atlántida; tampoco había ningún signo donde se suponía que había existido el continente. Martin concluyó que la búsqueda de la Atlántida era una causa inútil; el continente desaparecido, dijo, era una auténtica utopía: dicho de otro modo, la Atlántida no existía.

A raíz de la rotunda afirmación de Martin, la Atlántida podía haber sido desterrada del reino de la mitología y no se habría considerado nunca más como un lugar real. Pero al cabo de pocas décadas, el continente perdido encontró otro defensor insólito.

Ignatius Loyola Donnelly era un hombre soñador y ambicioso. Nacido en Filadelfia en 1831, era hijo de un humilde inmigrante irlandés que había abandonado los estudios de sacerdote para convertirse en tendero y estudiar medicina. La madre de Donnelly trabajaba como prestamista para ayudar a su marido a acabar sus estudios.

Por desgracia para la familia Donnelly, el recién titulado médico contrajo el tifus a través de un paciente y murió dos años después de empezar a ejercer. La madre de Donnelly era una mujer de gran voluntad que por aquel entonces estaba embarazada de seis meses; no se volvió a casar nunca, pero se dedicó por completo a la educación de sus hijos. Partidaria de una estricta disciplina, animaba constantemente a sus hijos a superarse; sus hijas bromearían más tarde sobre los numerosos pares de gafas que su madre rompía con su penetrante mirada.

Después de graduarse en la prestigiosa y exigente Escuela Superior –donde intentaba satisfacer las esperanzas de su madre leyendo y desarrollando un sorprendente talento como escritor–, Ignatius Donnelly, de baja estatura y pelirrojo, trabajó como pasante de un joven y prometedor abogado de Filadelfia. Tres años después, cualificado para ejercer de abogado, Donnelly se estableció por su cuenta. Entró en el mundo de la política, donde pronto se destacó como orador y recibió las alabanzas del senador John C. Breckinridge.

A pesar de su prometedora carrera como político en Filadelfia, Donnelly continuó acariciando su antiguo sueño de encontrar una oportunidad en el Oeste. En 1856, después de comprobar las posibilidades en diversos estados y territorios del Oeste, abandonó su ciudad natal y se trasladó con su esposa a Minnesota. Allí se dedicó con un compañero de Filadelfia, llamado John Nininger, a promocionar una futura metrópoli a la que bautizaron con el distinguido nombre de Nininger City. También intervino en los círculos republicanos de la política local.

El proyecto de Nininger City resultó un fracaso, pero la carrera política de Donnelly fue un éxito. Gran orador, recorrió el estado en 1859 y fue elegido vicegobernador. Tres años más tarde, consiguió un escaño en el Congreso de los Estados Unidos. Después de un segundo período, se vio envuelto en la agitación política de la posguerra civil y fracasó en su intento de presentarse a la reelección. Durante los años siguientes, Donnelly continuó en la política activa en Minnesota; en 1878 volvió a presentarse a las elecciones para el Congreso, esta vez como demócrata. Derrotado en una campaña muy reñida, impugnó el resultado y pasó la mayor parte de los dos años siguientes reuniendo pruebas y exponiendo el caso en Washington. Pero a finales de 1880 se dio cuenta de que estaba librando una batalla perdida. El 3 de noviembre, cuando cumplió los 49 años, Donnelly se lamentaba así en su diario: «Todas mis esperanzas se han desvanecido y el futuro se presenta oscuro y pesimista.» De hecho, su vida estaba a punto de tomar un nuevo rumbo.

Donnelly era un lector ávido desde su época de estudiante en la Escuela Superior. Sus intereses iban desde la arqueología y la geología hasta la lingüística y la historia. Durante su tiempo libre como congresista en Washington se había paseado muchas veces por la Biblioteca del Congreso para estudiar los últimos libros y revistas sobre estos temas. Más tarde, en 1870 aproximadamente –después de leer la conocida novela de Julio Verne *Veinte mil leguas de viaje submarino*, en la que unos exploradores descubren los restos de la Atlántida en un submarino–, Donnelly se sintió cada vez más fascinado por el continente perdido. Sin más, sus imprevistos estudios tomaron un enfoque distinto; en casi todo lo que leía creía encontrar ecos de una civilización extinguida hacía tiempo.

Cuando regresó a Minnesota, con sus ambiciones políticas destrozadas, Donnelly se refugió en el sueño de la Atlántida. A mediados de enero de 1881 escribía más optimista en su diario que estaba trabajando en un libro que titularía *La Atlántida*. Cuando no trabajaba en su cómodo estudio lleno de libros de Nininger City, Donnelly visitaba la surtida librería de D.D. Merril situada cerca de St. Paul. Compraba las últimas revistas científicas y los volúmenes de historia, geografía, mitología y literatura universal. Leyendo y escribiendo a un ritmo frenético, trabajando hasta altas horas de la noche bajo la luz de la lámpara de queroseno, Donnelly se convencía cada vez más de que la Atlántida de Platón había existido y justo donde Platón dijo que estaba. Más tarde llegó a la conclusión de que los atlantes fueron los primeros en crear una civilización y que las divinidades de las diversas mitolo-

*El retrato de Ignatius Loyola Donnelly preside el soleado estudio de su casa de Minnesota. Aquí fue donde Donnelly escribió* **La Atlántida: El Mundo Antediluviano.**

gías antiguas eran la misma realeza de la Atlántida. Como Donnelly se imaginaba, refugiados de la Atlántida se dispersaron por todo el mundo y crearon numerosas civilizaciones: en Egipto (el mundo de los faraones era la viva imagen de la civilización de la Atlántida, según Donnelly), en la India, en América Central y por todas partes. Además, Donnelly atribuía más cosas a la Atlántida que Platón o cualquier otro escritor.

Después de estudiar algunos tratados, Donnelly encontró pocos autores cuyos escritos contradijeran sus teorías. Los científicos de aquel tiempo conocían, por ejemplo, lo que más tarde se llamaría la Cordillera Mesoatlántica, una fractura de islas volcánicas que se extiende de norte a sur a través del fondo marino. Sir Charles Lyell, el geólogo más importante del siglo XIX, observaba en su decisivo libro *Principios de Geología* que un grupo de islas aparecería en un futuro a lo largo de esta línea y tendría una influencia comercial y política inestimable. Al leer esto, Donnelly no necesitó demasiada fantasía para imaginarse estas islas poderosas desapareciendo y apareciendo a lo largo de la misma fractura.

Donnelly también se apoyó en el mundo de la botánica para demostrar sus teorías sobre la Atlántida. El botánico alemán Otto Kuntze había escrito que las principales plantas tropicales de Asia y América eran de las mismas especies. Kuntze citaba sobre todo el plátano, que necesitaba un largo período de cultivo estudiado y determinado hasta conseguir que no tuviera semillas. Para Donnelly, el mensaje era claro: el plátano había sido cultivado primero en la Atlántida y luego había sido trasplantado a sus hábitats actuales. La misma teoría sirvió para explicar las semejanzas que los paleontólogos encontraron entre los animales prehistóricos en Europa y América.

*Esta invitación a un baile del Martes de Carnaval en 1883, representando a los atlantes entre un panteón de dioses, es un ejemplo de la fiebre provocada por las teorías de Donnelly sobre la Atlántida.*

Pero, más importante aún para sus tesis, Donnelly distinguía demasiadas semejanzas entre culturas muy distanciadas para que fueran consideradas como mera coincidencia. Cuando su investigación le llevó a las leyendas sobre inundaciones en las civilizaciones asiáticas, culturas de los indios americanos y civilizaciones antiguas de Oriente Medio, Donnelly rechazó totalmente la posibilidad de que estos relatos similares pudieran haber surgido por casualidad. La única explicación posible para una idea tan universal, concluía, tenía que ser la existencia de un origen común –el continente perdido de la Atlántida–, desde donde había partido el relato de la inundación, relato que había cambiado ligeramente, pero sin importancia, a través de siglos de transmisión oral.

Esta idea aparecía por donde Donnelly miraba. Descubrió que uno de los símbolos predilectos de la Edad de Bronce era la espiral. Figuras en espiral aparecían en lugares antiguos de Escocia, Suiza y en las caras de los indios zuni esculpidas en las rocas de Nuevo México. A mayor escala, Donnelly contemplaba las similitudes entre las pirámides de Egipto y las de Teotihuacán en México; incluso los misteriosos montículos diseminados a través del valle del Misisipí eran piramidales. En la antigua Nínive, cada uno de los cuerpos celestes estaba representado por un color: la Luna por el color plateado, por ejemplo; Donnelly descubrió una costumbre inglesa, todavía practicada en su época, que consistía en saludar a la luna nueva «pintándose de color plateado». Y cuando examinó los dibujos de los arcos de Micenas observó que eran exactamente como los de Palenque en América Central.

Incluso en lingüística, el tema más difícil de todos,

Donnelly percibía analogías que sugerían un origen común de todas las lenguas del mundo. Reunió numerosos ejemplos. La palabra china equivalente a «ladrillo» era *ku*; la palabra caldea equivalente a «ladrillo» era *ke*. Para «ropa», ambas lenguas utilizaban la palabra *sik*. Encontró evidencias de las variantes de una única lengua materna que iba desde Islandia hasta Ceilán y continuó hasta escribir que lo más razonable era establecer una generalización: «Hay pruebas abundantes con las que se podrían llenar páginas enteras de que había incluso una lengua materna más antigua... la lengua de Noé, la lengua de la Atlántida, la lengua del gran y "poderoso imperio" de Platón.»

Escribiendo a un ritmo frenético, Donnelly acabó su libro a mediados de marzo de 1881. Lo tituló *La Atlántida: El Mundo Antediluviano*. Poco después, viajó a Nueva York para visitar a los editores más importantes con cartas de presentación de su librero de St. Paul. Se dirigió en primer lugar a Harper and Brothers y cuando los editores de esta importante firma estuvieron de acuerdo en publicar el libro y, más importante aún, en promocionarlo se sintió lleno de alegría.

La *Atlántida* de Donnelly salió a la venta a principios de 1882. Su entusiasta autor ni siquiera estaba preparado para el éxito que obtuvo. Las primeras revistas lo calificaron de «plausible, claro, apoyado con muchos hechos curiosos y enigmáticos», y afirmaron que era uno de los libros más admirables de aquel siglo. William Gladstone, primer ministro de Gran Bretaña en aquella época, leyó el libro y escribió una cálida carta a Donnelly. Vistiendo unos pantalones raídos y un abrigo casi sin botones, Donnelly se sentó en Nininger City, leyó la carta de Gladstone y escribió en su diario: «Me miré a mí mismo y no pude más que sonreír ante el aspecto del hombre que, en esta pequeña aldea bloqueada por la nieve, se describía como un personaje cuya voz llegaba a cualquier parte del Imperio Británico.»

La visión del continente perdido de Donnelly tuvo una gran audiencia. El año siguiente, Nueva Orleans dedicaría la celebración del Martes de Carnaval a la Atlántida; la acogida que el libro tuvo en América y en el extranjero fue tan grande que su autor fue elegido miembro de la Asociación Americana para el Desarrollo de la Ciencia. *La Atlántida* fue traducida muy pronto en toda Europa y mucha gente a ambos lados del Atlántico se convenció ante las rigurosas pruebas presentadas por Donnelly basadas en la ciencia, la literatura, la religión, el folclore y la mitología.

Pero esta exposición era, en cierto sentido, un informe legal con todas las virtudes y defectos de la defensa de un abogado. Buscando siempre nuevas pruebas, Donnelly se valía de la más mínima evidencia, aunque fuera circunstancial, que pudiera apoyar su teoría. No siempre pretendía confirmar los curiosos hechos que descubrió e ignoraba las informaciones contradictorias. Además, desvirtuó algunos datos como la cronología de la Edad de Bronce, para conseguir su objetivo. Como consecuencia, sus conclusiones no gustaron demasiado a los científicos, acostumbrados a investigar y presentar los hechos de manera rigurosa. Charles Darwin, padre de la teoría de la evolución biológica –cuyo trabajo fue citado por Donnelly–, leyó *La Atlántida* y la calificó como «una idea muy increíble».

En efecto, Donnelly sabía que su teoría era incompleta. Lo que necesitaba para confirmar su tesis sobre la Atlántida eran pruebas tangibles. Como Donnelly decía al final de su libro: «Una sola tabla grabada perteneciente a la isla de Platón tendría más valor científico, despertaría más la imaginación de la humanidad que todo el oro del Perú, todos los monumentos de Egipto y todos los fragmentos de cerámica pertenecientes a las grandes bibliotecas de Caldea.»

A pesar de la falta de rigor científico de la obra de Donnelly, durante años se vendieron muchos ejemplares de *La Atlántida*. Alrededor de 1890, en Estados Unidos se habían agotado veintitrés ediciones y en Inglaterra se habían publicado veintiséis. Una de las principales causas del interés por una civilización perdida era la ola de espiritualismo que invadía Europa y América. Los médiums realizaban constantes sesiones de espiritismo en las que se evocaban los espíritus de los muertos y ocurrían otros hechos sobrenaturales. Era fácil creer que había poderes ocultos en el mundo, que algunos acontecimientos eran el resultado de causas que la ciencia no podía explorar. Lo oculto era parte de la cultura del siglo XIX. Apoyándose quizás en los hechos del libro de Donnelly, los ocultistas produjeron

# En busca de la Ciudad X

Entre los muchos exploradores que buscaron vestigios de la Atlántida, ninguno fue tan intrépido como el coronel Percy Harrison Fawcett. Este decidido oficial del ejército inglés, considerado un lobo solitario, pasó los primeros años de este siglo dibujando en un mapa las selvas de Ceilán y América del Sur. En 1908, dirigió una expedición *(arriba, con Fawcett sentado de frente y en el centro)* que inspeccionó la frontera entre Brasil y Bolivia. En 1925, retirado del ejército, se preparó para iniciar una ambiciosa expedición: la búsqueda de las ruinas de una legendaria ciudad en la selva de Brasil.

El interés de Fawcett por la civilización perdida lo despertó un ídolo de piedra negra, con misteriosos signos esculpidos, que el escritor y aventurero Sir H. Rider Haggard le regaló. Haggard dijo que la estatua de 25 cm fue encontrada en Brasil. Fawcett consultó a un aficionado en temas de ocultismo y averiguó que el ídolo provenía de un gran «gran continente de forma irregular que se extendía desde la costa del norte de África hasta América del Sur». El explorador se persuadió de que la enigmática figura había viajado desde aquel continente –con toda certeza la Atlántida– hasta una colonia Atlántida en el interior de Brasil.

Fawcett corroboró su teoría cuando adquirió un mapa antiguo que mostraba una ciudad sin nombre en la zona del poco conocido Mato Grosso, al suroeste de Brasil. Acompañado sólo por su hijo Jack y por Raleigh Rimell, amigo de su hijo, se puso en camino hacia la selva en busca de un lugar que llamó Ciudad X. Luego, después de escribir a su esposa sobre los rumores de una antigua metrópolis situada en un lago, Fawcett y sus dos jóvenes compañeros desaparecieron. Sus restos nunca fueron encontrados.

Aunque esto no sea más que una leyenda, Percy Fawcett existió. Durante décadas, quienes viajaban por América del Sur relataban historias sobre hombres demacrados que fueron vistos en la selva y que se hacían llamar Fawcett. Algunos decían que habían encontrado niños de ojos azules, medio indios, hijos de los aventureros. Otros contaban que Fawcett había encontrado la idílica Ciudad X y no quiso abandonarla.

Pero el relato más extraordinaro del explorador que llegó al lejano mundo se refiere a la médium y espiritista irlandesa Geraldine Cummins *(ver recuadro)*, que en 1936 afirmó que se comunicaba mentalmente con Fawcett. Cummins dijo que el inglés había encontrado reliquias de la Atlántida en la selva, pero que se encontraba enfermo y medio inconsciente. Después de cuatro de estos mensajes, no se volvió a hablar más de «Fawcett» hasta 1948. Este año, relató su propia muerte.

una gran variedad de textos acerca de la Atlántida.

En efecto, cuando Donnelly se sentó en su biblioteca de Nininger City para escribir *La Atlántida*, ya se habían realizado muchas especulaciones sobre el tema. Gran parte de ellas se referían a continentes perdidos nunca soñados por Platón. En 1864, por ejemplo, un clérigo investigador francés, Charles-Étienne Brasseur de Bourbourg, estaba estudiando en una biblioteca de Madrid cuando encontró un tratado que tenía la clave del complejo alfabeto utilizado por la desaparecida civilización maya de América Central. Con este instrumento, Brasseur se puso a traducir uno de los pocos manuscritos mayas que sobrevivieron a la destrucción de los conquistadores españoles del siglo XVI.

Cuando Brasseur profundizó en el complicado texto, descifrando cuidadosamente sus intrincados símbolos, descubrió la historia de una antigua tierra sumergida bajo el océano después de una catastrófica erupción volcánica. Después de descubrir un par de misteriosas figuras que correspondían con toda certeza a las letras *M* y *U* del alfabeto moderno, Brasseur llegó a la conclusión de que el continente se había llamado Mu.

Algunos investigadores se mostraron escépticos; sus intentos de descifrar la clave originaron traducciones absurdas. Pero el arqueólogo francés Auguste le Plongeon, que fue el primero en excavar la ruinas mayas, utilizó el alfabeto y otros símbolos de las ruinas mayas para elaborar un informe sobre el continente de Brasseur. Según Le Plongeon, el enfrentamiento entre dos hermanos por la mano de la reina de Mu –llamada Moo– causó la muerte de uno de ellos y el otro se hizo con el poder del país. Cuando el continente empezó a hundirse después de estos dramáticos acontecimientos, la reina Moo huyó a Egipto. Allí, igual que la diosa Isis, construyó la Esfinge y fundó la civilización egipcia. Otros supervivientes de la catástrofe de Mu huyeron a Yucatán, donde escribieron su historia y erigieron grandes templos.

Mu, que Brasseur y Le Plongeon localizaron en el golfo de México y al oeste del Caribe, se parecía mucho a la Atlántida. Como el continente perdido de Platón, Mu estaba formado por diez reinos diferentes. Pereció, según documentos mayas, unos 8.000 años antes, aproximadamente en la misma época en que, según Platón, la Atlántida fue destruida.

Otros relatos referentes a una gran masa de tierra que existió en la antigüedad se inspiraron en la teoría de la evolución de Darwin, que trata de explicar, entre otras cosas, la existencia en un determinado lugar de especies de plantas y animales. Los lémures –predecesores pequeños y evolucionados de los monos– fueron los animales más abundantes en la isla de Madagascar, a unas cuantas millas de la costa oriental de África del Sur, y presentes también en menos cantidad de la India y en la propia África del Sur; por esto los científicos sugirieron que había existido una tierra de la extensión de un continente que hacía de puente entre estas zonas. Un zoólogo inglés, Philip Sclater, llamó Lemuria a esta tierra perdida. Este argumento fue apoyado por destacados científicos de la época, entre ellos Alfred Russel Wallace, que desarrolló una teoría de la evolución parecida a la de Darwin. Un naturalista alemán, Ernst Heinrich Haeckel, fue todavía más lejos al sostener que Lemuria fue la cuna evolucionada, no sólo de los lémures, sino de la humanidad. Esto explicaría, afirmó, la teoría de la primera distribución geográfica del *Homo sapiens* y también justificaría la escasez de fósiles de las etapas de la evolución entre los monos y los seres humanos.

Aunque la primera propuesta fue fruto de la especulación intelectual y científica, los nuevos continentes Mu y Lemuria

***El arqueólogo francés Auguste le Plongeon posa con aspecto sombrío, luciendo insignias masónicas. Sus excavaciones en la ruinas mayas alrededor de 1880 le convencieron de que esta civilización fue fundada por los refugiados de Mu, un continente perdido parecido a la Atlántida.***

# Una imagen del Edén

En 1926, un angloamericano causó sensación con la publicación de su primer libro, *El continente perdido de Mu.* En este extraordinario tratado, el coronel James Churchward afirmaba haber encontrado pruebas irrefutables que relacionaban el bíblico Jardín del Edén con Mu, el legendario continente hundido en el Pacífico.

Churchward escribió que un viejo sacerdote asiático le enseñó a traducir el elemental lenguaje de Mu, inscrito en unas tablas halladas en la India y México. Estas tablas confirmaban que Mu había sido el origen de una civilización, anterior incluso a la Atlántida. En esta civilización surgieron varias razas de seres humanos que compartían su existencia con una fauna que comprendía desde relucientes mariposas hasta mastodontes, tal como muestra la ilustración de Churchward *(derecha).*

Por desgracia, explicaba Churchward, esta idílica tierra descansaba sobre yacimientos de petróleo. Este combustible explotó ocasionando un gran cataclismo 12.000 años antes y Mu se hundió bajo las olas. Los afortunados supervivientes que huyeron a las numerosas colonias de Mu diseminadas por todo el mundo escribieron más tarde las tablas que Churchward afirmaba haber descifrado.

Nadie ha encontrado antes tales documentos, ni los geólogos han descubierto huella alguna de ningún continente hundido en el Pacífico. Pero esto no ha disuadido a los lectores de Churchward. Su libro, y los que escribió después acerca de Mu, continuaron publicándose hasta 1960.

despertaron rápidamente la imaginación de los ocultistas, que procedieron a realizar más afirmaciones extravagantes sobre los supuestos continentes perdidos. En la década de 1870, por ejemplo, un investigador angloamericano llamado James Churchward empezó lo que se convertiría en una larga investigación sobre Mu, que según él se encontraba en medio del Pacífico. Churchward, citando una crónica que supuestamente procedía de unas tablas secretas descubiertas en la India, dijo que Mu era donde había existido el Jardín del Edén y tenía una población de 64 millones de personas cuando desapareció hacía 12.000 años (página 27). Pero Lemuria centró casi toda la atención gracias a los prodigiosos escritos de una incontenible y extravagante mujer nacida en Rusia en 1831, el mismo año que Ignatius Donnelly.

Helena Petrovna fue una hermosa niña de cabellos oscuros y ojos azules y claros. Muy pronto mostró especial interés por los hechos fantásticos e imaginarios. Entre otras cosas, aseguró a sus compañeras que, a través de sus paseos por el laberíntico subterráneo de su casa, le acompañaban seres invisibles que ella llamaba «jorobados». A menudo paseaba y hablaba mientras dormía y fue una narradora tan hábil que la gente decía que provocaba alucinaciones en los niños que la escuchaban cuando relataba sus cuentos tan imaginativos. Helena era también una niña testaruda: semanas antes de cumplir 17 años se casó primero con Nikifor Blavatsky, un oficial del gobierno que tenía tres veces la edad de ella. El matrimonio duró poco tiempo. Helena abandonó a Blavatsky al cabo de pocos meses y se volvió a casar. Pero siempre conservaría el nombre de señora Blavatsky.

Antes de cumplir 20 años se embarcó en una serie de viajes y aventuras alrededor del mundo que le ocuparían toda su vida. Más tarde, afirmaría que en sus viajes estuvo durante siete años en el Tíbet, donde estudió la antigua cultura de los hindúes. Siempre que regresaba a su hogar en Rusia, sus familiares la notaban más gruesa –llegó a pesar casi 105 kilos– y alterada. Tenía un sentido del humor aparatoso y un gran talento y energía por lo profano. Por todas partes donde iba, su magnética personalidad cautivaba a la gente.

En 1870, Helena Blavatsky visitó los Estados Unidos cuando aún perduraba la moda espiritualista que provocó la fascinación del público por las ideas de Ignatius Donnelly sobre la Atlántida. En Nueva York, se unió con un erudito de las ciencias ocultas, Henry Steel Olcott, con el propósito de formar una organización llamada Sociedad Teosófica, según las palabras griegas «dios» y «sabiduría». Uno de los objetivos de esta sociedad, que pronto tuvo muchos adeptos, era investigar antiguos misterios como los secretos de las pirámides y la naturaleza humana del pasado.

Como cabeza espiritual de un movimiento cada vez más numeroso, la señora Blavatsky escribió para la Sociedad Teosófica una importante obra sobre ciencias ocultas llamada *La Doctrina Secreta*, que acabó en 1888. En esta importante obra decisiva, un libro de dos volúmenes, la señora Blavatsky afirma haberse comunicado con espíritus procedentes de Oriente sobre los continentes perdidos de la Atlántida y Lemuria. Ella y sus discípulos explicaron más tarde con detalles que el continente de Lemuria era parte de una filosofía universal basada en numerosas fuentes de Oriente y Occidente.

Según la señora Blavatsky y sus seguidores, los lemurianos eran la tercera de siete razas consideradas el «origen» de la humanidad. Su continente ocupó la mayor parte del hemisferio sur y originariamente fueron gente hermafrodita que se comunicaba mediante poderes psíquicos que les otorgaba un tercer ojo. La cuarta raza fue la Atlántida, que evolucionó de los lémures cuando Lemuria se hundió bajo el mar millones de años antes; vivía en una estribación de Lemuria al norte del Atlántico que más tarde también se hundiría y que desapareció finalmente hacía unos 9.000 años. Helena Blavatsky creía que los supervivientes de este desastre huyeron hacia Asia Central, donde evolucionaron en los modernos hindúes y europeos.

Otro entusiasta cronista de la Atlántida y Lemuria fue el místico y filósofo austríaco Rudolf Steiner. Influenciado por las obras de la señora Blavatsky y sus teosóficos seguidores, Steiner formó su propio movimiento espiritual, al que llamó Antroposofía, de las palabras griegas «hombre» y «sabiduría». Entre otras cosas, la Sociedad Antroposófica fundó diversas escuelas y promocionó la agricultura orgánica.

En sus numerosos escritos y conferencias, Steiner te-

*La mirada fija y penetrante de Helena Blavatsky revela el carisma que la hizo famosa. Entre sus escritos, supuestamente inspirados en mensajes transmitidos por la mente, se encuentran descripciones sobre los lémures.*

nía rápidas respuestas para quienes dudaban y cuestionaban sus conclusiones acerca de los continentes perdidos. Cierta vez, por ejemplo, observó que las aeronaves de la Atlántida serían inoperables en la época moderna, habiendo sido diseñadas para volar en una atmósfera de más densidad como la que según él prevalecía durante los días gloriosos de la Atlántida. Anticipándose a las respuestas de sus críticos, continuó con sus observaciones: «No necesitamos plantearnos ahora si esta condición de densidad es compatible con la opinión sostenida por la ciencia moderna, ya que la ciencia y la lógica no pueden, debido a sus inherentes cualidades, decir nunca la última palabra sobre lo que es posible o imposible.»

Steiner sostenía también que el cuerpo humano, junto con las rocas y minerales, eran más suaves y flexibles hacía miles de años, en los tiempos de Lemuria y la Atlántida, que en épocas posteriores.

Las descripciones más elaboradas de los continentes perdidos y sus habitantes pertenecen al escritor teosofista W. Scott-Elliott. Según el relato de Scott-Elliott, publicado en 1893, los atlantes vivieron en una sociedad casi totalitaria gobernada por una clase alta que creó gran cantidad de maravillas tecnológicas. Por ejemplo, cruzaron sus reinos volando a 160 km/h en unas aeronaves impulsadas por un combustible misterioso conocido como *vril*, una fuerza que producía propulsión de modo parecido al motor de un avión moderno.

Estos detalles fantásticos sobre la vida en Lemuria y la Atlántida –y otras observaciones acerca de Mu– fueron descubiertos gracias a poderes ocultos, la lectura de recuerdos de la mente que de algún modo sobreviven al paso del eón. Los científicos tradicionales se reirán quizás ante tales afirmaciones, pero otros han llegado a la conclusión de que hay caminos no convencionales de conocer las cosas. Por ejemplo, algunos creen que determinados cristales de cuarzo, utilizados para facilitar la meditación, pueden permitir al usuario sintonizar con una clase especial de sabiduría benevolente que era, posiblemente, la esencia de la Atlántida. Otros, incluso, sostienen que nunca se ha profundizado tanto en los misterios de la Atlántida como hizo en la primera mitad del siglo XX Edgar Cayce, aquel curandero y espiritista iletrado que se refirió al continente perdido cuando cayó en estado de trance.

Nacido en 1877, hijo de un granjero de Kentucky, Edgar Cayce tuvo que dejar la escuela en el séptimo curso para empezar a trabajar. Más tarde, quiso convertirse en sacerdote pero cayó enfermo debido a una indisposición de garganta que redujo su voz a un mero suspiro. Después del fracaso de los médicos que no pudieron curarle, pidió a un amigo que le hipnotizara; en este estado de trance, Cayce habló con voz fuerte y clara diagnosticando su problema y prescribiendo el remedio que finalmente funcionó. Desde entonces, hubo dos Edgar Cayce, el «dormido» y el «despierto». Durante años, hasta su muerte en 1945, Cayce pasó gran parte de su vida sumergido en trances profundos, buscando las causas de las enfermedades e incapacidades físicas de la gente y prescribiendo remedios.

A partir de 1920, el Cayce dormido empezó a insistir en la existencia de la reencarnación, el renacimiento de las almas que partieron hacia nuevos cuerpos. A menudo, cuando intentaba localizar la vida anterior de un paciente –lo que se conocía como «lecturas de vida» en comparación a las lecturas realizadas con fines curativos– Cayce haría alusión con medias palabras a una vida anterior en la Atlántida, nombrando al espíritu de esta época con la palabra «entidad». En una lectura de vida dijo a un paciente: «En la Atlántida... la entidad dominaba la pompa y el poder, conocía los secretos de la aplicación de la llamada cara oscura de la vida o de las fuerzas universales, como se conocían en aquella época.»

Hombre relativamente sencillo, Cayce era una persona profundamente religiosa y no muy instruido. A veces se sorprendía al saber lo que había dicho al entrar en trance y el Cayce despierto se preocupaba durante unos días por las ideas de su doble dormido sobre la reencarnación, temiendo que no fueran cristianas. De hecho, las referencias a la Atlántida parecían casi accidentales. Pero fueron escritas igual que casi todas las lecturas de Cayce posteriores a 1932, cuando se fundó un instituto para apoyar su trabajo. Después de 650 diferentes lecturas que Cayce dio para gente distinta durante un período de 21 años, se creó una imaginativa visión del antiguo mundo de la Atlántida. Era una descripción muy consistente, sin ninguna contradicción entre los diversos fragmentos.

La Atlántida de Cayce estaba donde Platón la había

situado, en el océano Atlántico. «La posición... que ocupaba el continente de la Atlántida –dijo en una lectura que dio en 1923– está entre el Golfo de México por una parte y el Mediterráneo por la otra.» Tenía la extensión de un continente y sus habitantes vivían allí desde hacia miles de años, durante los cuales pasó por tres grandes períodos catastróficos de desmembramiento, el último de los cuales acaeció hace 10.000 años, cuando desapareció.

Antes de este final, sin embargo, los atlantes desarrollaron una avanzada civilización muy similar al mundo industrializado del siglo XX. Eran un pueblo activo e inquieto que podía, entre otras cosas, generar electricidad y construir aeronaves. Como entonó durante una lectura el 19 de abril de 1938: «La entidad es lo que hoy sería la electrónica; aquella fuerza o influencia se aplicaría a las aeronaves, barcos y lo que hoy llamaríamos radio con fines constructivos o destructivos.»

Cayce también habló con medias palabras de una sustancia llamada piedra refractaria. Utilizada para generar electricidad, ha sido comparada a los materiales radioactivos utilizados en nuestra época para producir energía nuclear. Como Cayce explicó durante una lectura en 1933, más de una década antes de la primera demostración pública de la energía atómica, «la preparación de esta piedra estaba únicamente en manos de los entendidos de la época; la entidad estaba entre quienes dirigían la influencia de las radiaciones que surgían en forma de rayos invisibles al ojo humano, pero que actuaban sobre las piedras como fuerzas impulsoras, tanto cuando la aeronave era propulsada por el petróleo de aquella época, como cuando se utilizaban para hacer funcionar vehículos de recreo que circulaban por tierra, sobre el mar o bajo el mar». Estos vehículos, continúa diciendo Cayce, «eran impulsados por la concentración de rayos procedentes de la piedra que estaba situada en el centro de la estación nuclear». Según la descripción de Edgar Cayce, los atlantes

***Fotografía de Edgar Cayce hecha por él mismo. Durante su juventud, Cayce fue fotógrafo profesional; más tarde se dedicó a la lectura de la mente, en una de las cuales predijo el resurgimiento de la Atlántida.***

# La ópera de Sir Gerald sobre la Atlántida

La fascinante historia de la Atlántida, el continente perdido, ha sido descrita en numerosos libros de historia, novelas, películas e incluso escrita en forma de opereta. Sir Gerald Hargreaves, un juez inglés y compositor aficionado, escribió un musical llamado *Atalanta: La Historia de la Atlántida* durante la Segunda Guerra Mundial, cuando el relato de un país castigado por su agresión podía parecer adecuada.

En un libreto en que mezcla Platón y Homero con Gilbert y Sullivan, Hargreaves describe una Atlántida dividida en dos facciones, una a favor de la guerra contra Atenas y otra a favor de la paz. Al oír esto, los griegos envían al guerrero Aquiles (tenor) a la isla para discutir el caso. El fuerte y flamante, fresco después del asalto a Troya, no pudo convencer a su audiencia, pero consiguió conquistar el corazón de la viril princesa Atalanta (soprano). Se la lleva a Grecia justo cuando los partidarios de la guerra vencen y la Atlántida se derrumba, en cuatro partes armónicas, en el mar.

Aunque el drama musical de Hargreaves nunca fue representado, el juez pintó cuadros de diversas escenas que mostraban su concepción de la obra. Basados en la descripción que Platón hizo de la isla, pero mucho más bellos, los decorados de *Atalanta* fueron diseñados para una gran producción. Los que muestra la ilustración representan el interior dorado del templo de Poseidón *(arriba)*, una plaza pública en la antigua Atenas *(arriba, derecha)* y las grandes y proporcionadas habitaciones del palacio real de la Atlántida *(al fondo a la derecha).*

aparecieron en la tierra en forma de espíritu y evolucionaron de forma gradual hacia seres materiales. Esto fue, parece ser, el principio del fin de la Atlántida; a medida que se iban convirtiendo en seres carnales a través de generaciones, más problemas tuvo su civilización. El Cayce dormido dijo en 1937: «En la Atlántida, cuando se produjeron aquellas fuerzas disgregadoras o antes de la aparición de estas fuerzas que provocaron la primera destrucción del continente, debido al uso de las cosas espirituales para la propia sensualidad de los seres materiales.» Un grupo llamado los Hijos de Belia tomaron el poder de la Atlántida, maltratando a los trabajadores y sumiéndolos en una especie de esclavitud. La sociedad –como el país– empezó a desmoronarse. Cayce sugirió que el cataclismo final fue provocado, no sólo por movimientos geológicos, sino también por una mala utilización de la tecnología. En 1936 dijo: «En la Atlántida, después de la segunda destrucción de la tierra debida al mal uso de las leyes divinas sobre las cosas de la naturaleza y de la tierra, hubo erupciones a partir de la segunda vez que utilizaron estas influencias destinadas al desarrollo de la humanidad y que, sin embargo, se convirtieron en fuerzas destructivas, al ser utilizadas indebidamente.»

Además del relato de la vida y muerte de la Atlántida, Cayce también hizo una predicción inquietante. A finales de la década de 1960, dijo que la zona oeste del continente sumergido volvería a aparecer cerca de Bimini, una isla del Caribe. Después, en 1968, unos buzos descubrieron mar adentro de las aguas de Bimini lo que parecía ser una larga autopista construida con bloques rectangulares de piedra. Algunos creyeron que la profecía de Cayce se hacía realidad, que aquello eran restos de la desaparecida civilización de la Atlántida. En efecto, el radio-carbono procedente de los enormes bloques indicaba una edad de 12.000 años.

Pero los arqueólogos observaron pronto unas formaciones similares de piedra en Australia e incluso muy cerca de la costa de Bimini. Igual que la carretera de 6 km, dijeron los científicos, no eran estructuras hechas por el hombre, sino más bien el resultado de la formación de la costa. En este proceso natural, los granos de carbonato cálcico procedentes de la desintegración de las criaturas marinas se posaron sobre la arena incrustándose y formando una roca dura. La exposición al sol y el desprendimiento de la arena suelta del fondo hacen que la roca se rompa en líneas relativamente rectas a lo largo de la costa y luego en ángulo recto, creando el efecto de una carretera hecha con la precisión de un artesano. Cuando las líneas de la costa cambian, estas formaciones se hunden y pueden parecer vías antiguas.

Estas carreteras submarinas no son los únicos restos de la Atlántida que han sido excavados por la ciencia moderna. En efecto, la constante precisión de la geología del siglo XX ha sido muy rigurosa con la idea de un continente perdido hundido en aguas oceánicas. La precisión al medir la velocidad de las vibraciones de los terremotos cuando resuenan en la tierra, ha llevado a los geólogos a la conclusión de que el material de la corteza terrestre bajo los continente es muy diferente del de la cuenca oceánica. Al investigar estas vibraciones en el suelo del océano los geólogos no han encontrado ningún signo de materiales pertenecientes a alguna gran masa de tierra.

La teoría de un desplazamiento continental y de placas tectónicas ha ocupado también numerosas páginas sobre la Atlántida. Esta revolucionaria teoría propuesta a principios de este siglo –menospreciada durante más de una generación– afirma que todos los continentes del mundo estuvieron unidos antiguamente formando una gran masa de tierra llamada Pangea. Hace unos 200 millones de años se separaron y empezó el lento y continuo movimiento que los ha llevado a la situación actual. El mecanismo que mueve los continentes –que flotan sobre unas duras placas de la corteza terrestre a través de la capa de la tierra más maleable– es la constante erupción de material fundido procedente del interior de la tierra a lugares como la Dorsal Mesooceánica, donde forma islas volcánicas y separa las placas.

La idea de un desplazamiento continental ganó credibilidad a finales de la década de 1960 y actualmente está aceptada por casi todos los científicos. Aunque algunos de sus partidarios crean que América pudiera haber sido la

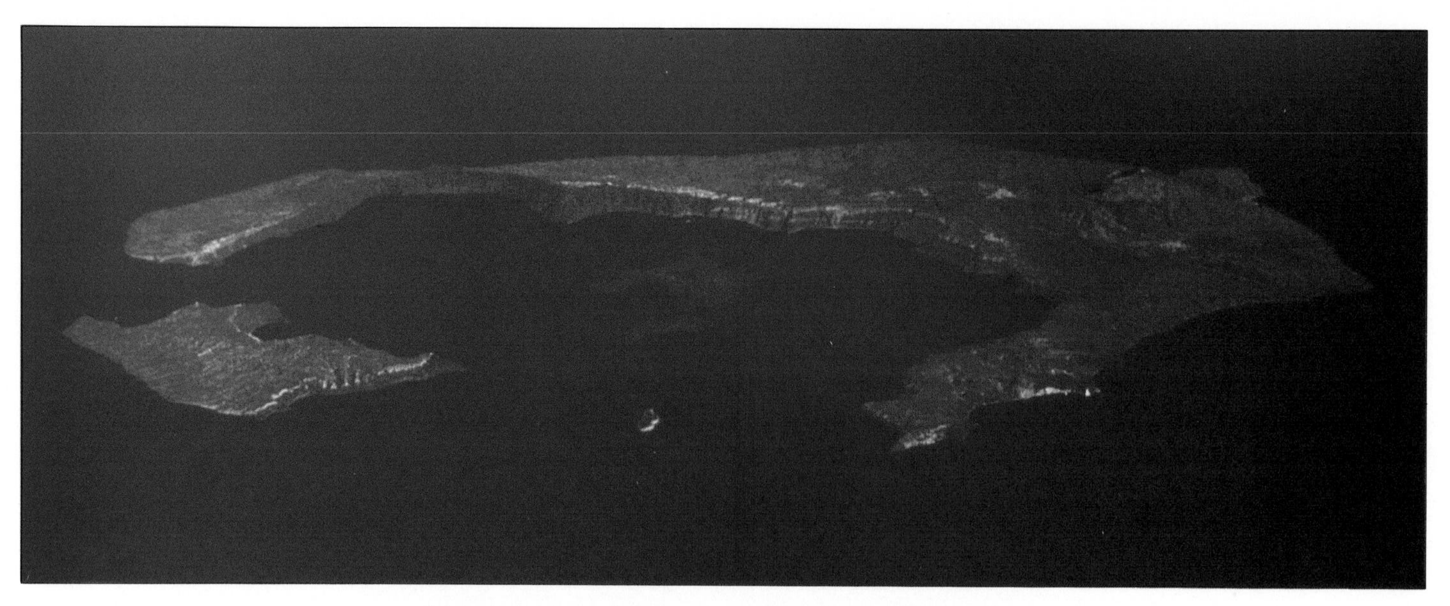

***Salpicado de islotes volcánicos, el puerto de Thera muestra el contorno de una erupción. Algunos científicos creen que el cataclismo que destruyó esta isla del Egeo el año 1500 a.C. inspiró la historia de la Atlántida.***

Atlántida de los diálogos de Platón, porque había estado unida a Europa y África, esta teoría parece poco probable. El proceso de este desplazamiento continental es inmesurablemente lento y Norteamérica llegó a su posición actual aproximada hace unos 65 millones de años, cuando los dinosaurios aún paseaban por la tierra.

A pesar de la negativa de la ciencia, aún hay quien cree que los sofisticados reconocimientos del fondo del océano han ignorado los restos de la Atlántida. A pesar de la evidencia geológica estos optimistas se aferran a la idea de que el antiguo continente yace en algún lugar de las tinieblas y su gloria oculta bajo la tierra. Mientras tanto, otros científicos han dado gran importancia a la existencia material de una Atlántida en tiempos antiguos. Piensan que Platón podía haber estado muy cerca de la verdad.

En Egipto, durante la VI dinastía, hacia el 2.500 a.C., un imperio dominaba el comercio de la cuenca mediterránea. En Creta y en otras islas cercanas al mar Egeo, los habitantes de este imperio utilizaban las riquezas que acumulaban para construir y trazar complejos canales. Su arte, como demuestran los frescos y la cerámica, era muy sofisticado: elegante, barroco, de oro brillante. Pero durante la época de Platón, esta civilización desapareció, dejando sólo algunos mitos, como la historia del héroe griego llamado Teseo y sus aventuras con el Minotauro, con forma de toro. Platón no conocía el talento de esta civilización. Efectivamente, nadie imaginaba esta realidad hasta 1900, cuando Sir Arthur Evans empezó las excavaciones en Cnossos, Creta. Allí desenterró los sorprendentes restos de lo que podía haber sido la primera civilización de Europa. La llamó minoica, como el legendario rey Minos.

Luego, en 1909, apareció una carta anónima en el *Times* de Londres sugiriendo que la civilización minoica fue la que inspiró la Atlántida de Platón. El autor, que resultó ser K.T. Frost, un profesor de historia antigua de la Queen University en Belfast, escribió más tarde un artículo en el que desarrollaba esta idea. La cuestión, recalcaba Frost, era mirar la Creta de Minos desde la perspectiva de los egipcios de aquella época, de donde procedía la información de Platón. Hubiera parecido diferente a todo que los egipcios estuvieran familiarizados con pueblos de África o de Oriente Medio, un gran imperio marino «unido por el mismo mar que lo separaba de otras naciones». Además, para los egipcios, el centro de la civilización minoica estaría situado más hacia occidente, más allá de las Cuatro Columnas que, según la idea que tenían los egipcios del mundo, sostenían la tierra. Frost observó que las referencias que hizo Platón sobre un gran puerto, lujosos cuartos de baño, un estadio y los sacrificios de toros coincidían con las características actuales de la Creta de Minos, como la ceremonia de la captura del toro, que puede contemplarse en alguna pieza de cerámica encontrada en Creta.

Pero de repente, el poder de los cretenses desapareció. (Frost piensa que pudiera ser debido a un ataque griego contra Creta.) Para los egipcios, situados como estaban en un extremo oriental de África, desde donde raramente se arriesgaban, la desaparición de estos exóticos comerciantes durante su máximo esplendor habría sido un gran misterio, como si «todo el reino se hubiera hundido bajo el mar». La descripción de esta civilización que alcanzó la gloria y desapareció bruscamente es la que habrían escrito los historiadores egipcios. Esta versión es la que habría llegado a manos de Platón.

Aunque parecía plausible, poca gente hizo caso de la idea de Frost. Él mismo renunció al tema y murió más tarde durante la Primera Guerra Mundial. Pero no pasó demasiado tiempo antes de que la teoría de Frost recibiera un importante apoyo.

En 1932, Spyridon Marinatos, un *ephor* griego o coleccionista de antigüedades, visitó la costa de Creta. Como muchos arqueólogos antes que él, se rompió la cabeza pensando acerca de la repentina e inexplicable desaparición de la cultura minoica. Documentos antiguos revelan que el gran rey Minos habría utilizado un lugar llamado Amnisos, en Creta, como ciudad portuaria para la capital de Cnossos. Con un presupuesto total de 135 dólares, Marinatos pasó la mayor parte del verano buscando alrededor de Amnisos, por consiguiente algo más que una playa de arena, signos de algún puerto. Cuando se quedó sin fondos –el último día de su al parecer infructuosa expedición– Marinatos excavó en la arena una vez más y dio con los fragmentos de un fresco minoico decorado con lirios. Fue más que suficiente para volver a Amnisos e insistir en su búsqueda con más energía. En posteriores excavaciones, Marinatos desenterró una ciudad portuaria entera y una casa real. «Pero lo que sobre todo picó mi curiosidad –escribía más tarde– fue la curiosa posición de unas enormes piedras que habían sido arrancadas del suelo y esparcidas en el mar.» Durante posteriores esfuerzos, encontró en la misma zona una construcción con los subterráneos llenos de piedra volcánica, prueba evidente de una erupción.

Buscando el origen de esta erupción, Marinatos miró hacia Thera y otras dos islas del Egeo, unos 110 km hacia el norte, conocidas por ser los restos de un volcán que había estado activo alrededor del 1500 a.C., justo cuando la civilización minoica cerró sus ojos para siempre. Las tres islas son lo que queda de una gran isla redonda: un cráter, una boca volcánica, que explotó de un modo tan violento que la profundidad del agua es de más de 300 metros.

Preguntándose si este acontecimiento pudo haber sido tan violento como para eliminar –de una vez– un poder tan grande como Creta, Marinatos estudió documentos sobre la erupción volcánica del Krakatoa en 1883, en el estrecho de la Sonda entre Java y Sumatra. Esta titánica explosión se oyó a una distancia de más de 3.000 kilómetros y provocó olas de 30 metros de altura que rompieron a 80 km/hora contra las costas de Java y Sumatra; las violentas aguas llegaron a más de un kilómetro tierra adentro, arrastrando 300 pueblos y causando 36.000 muertos. Marinatos llegó a la conclusión de que la erupción de Thera –si hubiera sido tan violenta como la del Krakatoa– pudo haber acabado con los minoicos.

Marinatos dedujo que esta serie de catástrofes, ocurridas durante un largo período de la prehistoria, dieron lugar al relato de la Atlántida contado por Platón. Sus colegas de la comunidad científica permanecieron escépticos y las investigaciones posteriores se vieron interrumpidas por el comienzo de la Segunda Guerra Mundial. Pero cuando acabó la guerra y la búsqueda pudo reanudarse, un sismólogo griego, A.G. Galanopoulos, recuperó la pista que llevaba hasta Thera. En esta isla de forma irregular, Galanopoulos encontró las ruinas de unos edificios, sin lugar a dudas minoicos, que habían sido devastados por un volcán. Un colega húngaro, Peter Hédervári, basándose en el volumen de tierra destruida en aquellos lugares, determinó que la erupción de Thera había sido unas cuatro veces más violenta que la del Krakatoa. Las

***Vaso minoico grabado que representa las luchas de un toro atrapado en una red. Reliquias como ésta suscriben el relato de Platón sobre la caza de un toro atlante y refuerzan la teoría de que Creta, cuna de la cultura minoica, era la Atlántida.***

piedras volcánicas y las cenizas de este cataclismo no sólo habrían inundado Creta sino que habrían llegado hasta Egipto, a unos 400 kilómetros de distancia. También habrían provocado lluvias torrenciales a lo largo de una extensa zona y la gran cantidad de lava flotando en el mar habría hecho que las aguas se llenaran de negros arrecifes durante algún tiempo. Los «tsunami» o enormes olas, consecuencia de la explosión, habrían sido para el resto del mundo como la marea que se estrella contra la costa.

Galanopoulos creía que esta serie de acontecimientos catastróficos –que probablemente tuvieron lugar en cuestión de días– habrían sido registrados por los egipcios y asociados con la súbita desaparición de los omnipresentes minoicos. Al oír la historia tiempo más tarde, Solón sugirió la descripción de Platón, que tradujo la desaparecida civilización al continente perdido de la Atlántida. Aunque esta reconstrucción pueda ser plausible, tiene algunos inconvenientes. Platón especificó la fecha en que había ocurrido la catástrofe, situándola 9.000 años antes de su época. También fue preciso al detallar la extensión de la Atlántida y sus características; la capital tenía 500 kilómetros de ancho, más grande que cualquier ciudad de la era moderna. Además, Platón había localizado la Atlántida exactamente en el océano Atlántico.

Galanopoulos reconcilió estas discrepancias de manera ingeniosa y fácil, la clase de explicación según la máxima de la *navaja de Occam*, atribuida al filósofo inglés del siglo XIV Guillermo de Occam, según la cual «la explicación más fácil que encaja con todos los hechos es probablemente la correcta.» Griegos y egipcios utilizaban diez combinaciones numéricas básicas que fueron las precursoras del sistema decimal moderno. Galanopoulos explicó que, en la traducción del egipcio al griego, el símbolo para cada número mayor de 100 tenía su equivalente con un cero añadido por equivocación. En este caso, los números en la descripción de Platón encajarían bastante bien. Por ejemplo, si 9.000 años significaban realmente 900 años, la fecha de la catástrofe concordaba casi perfectamente con la erupción de Thera el año 1500 a.C. Así mismo, una ciudad de 500 kilómetros de ancho se convierte en 50 kilómetros, una medida razonable. Y una serie de islas grandes y pequeñas diez veces el tamaño de Creta y las cercanas a ella, no se hallarían en el Mediterráneo como Platón sabía: en su crónica de la Atlántida, el gran filósofo tendría que haber situado el continente perdido lejos del mar, en un océano mucho más grande más allá de las Columnas de Hércules.

Es probable que los números pudieran haberse tergiversado en tiempos pasados. Los símbolos egipcios de los números podían haber sido confundidos por los griegos que llevaron la historia de la Atlántida desde Egipto hasta Grecia. No es sorprendente que Platón, extasiado por el extraordinario relato de una civilización desaparecida en un abrir y cerrar de ojos, se propusiera utilizar la historia de manera instructiva.

Hay quienes están satisfechos con este relato moderno y científico de una enigmática civilización y su desaparición. Pero otros ven alguna cosa más en la Atlántida que los científicos y sostienen que esta última teoría es sólo una racionalización de personas con una mentalidad absolutamente materialista. Después de todo, Creta no se halla bajo las aguas.

Sugerirán que la máxima de Guillermo de Occam quizás no se refiera precisamente a los complicados asuntos de la humanidad y del alma humana. Escucharán las palabras de Edgar Cayce, el profeta dormido, que habló del vuelo de los atlantes hasta Egipto para guardar los documentos de su agonizante país. «Éstos podrán encontrarse –dijo Cayce en una lectura que dio el año 1941– cuando la casa o la tumba de los recuerdos se abra, dentro de pocos años.» Quizás, dicen, en algunas pirámides egipcias se halle algún santuario desconocido que contenga papiros con símbolos antiguos que se refieren a las regiones más allá de los confines del Mediterráneo, más allá incluso de los confines de lo que la ciencia conoce sobre la mente humana, algún lugar donde una Atlántida mística aún descansa en las profundidades, esperando revelar sus antiguos secretos.

# El reino de los misterios insondables

Desde que los primeros navegantes se hicieron a la mar hace miles de años, los inmensos y caprichosos océanos han sido el origen de mitos y misterios, lugares poblados de extraños seres y poseedores de inexplicables poderes. Los marineros de todas partes han contado relatos de sirenas, seres medio peces y medio humanos. Los griegos hablaron de la hechicera Circe que atraía a los incautos navegantes a su perdición. Los nórdicos compusieron canciones sobre los *kraken*, unos monstruos de 60 metros de altura con «afiladas escamas y ojos de fuego» que destruían naves y mataba a los marineros. A finales del siglo XVIII, Carl von Linné, el padre de la botánica moderna, consideró seriamente la historia de los *kraken*. «Dicen que si pudieran coger al hombre más poderoso de la guerra –escribió– los *kraken* lo hubieran arrastrado al fondo del mar.» Otros han pensado que el mar tiene poderes peligrosos. Cuando Cristóbal Colón llegó al mar de los Sargazos a medio camino en el Atlántico, la supersticiosa tripulación tuvo miedo de que sus algas espesas, amarillas y marrones la rodearan para siempre.

Más reciente es el temor al llamado Triángulo de las Bermudas, una zona amorfa situada en alguna parte al este de las Bermudas. Un investigador de lo desconocido, Ivan T. Sanderson, afirmó que el Triángulo de las Bermudas es una de las doce zonas llamadas «torbellino malvado» –otra de estas zonas infames es el llamado Mar del Diablo, en la costa de Japón– donde se cree que fuerzas poco conocidas provocan la desaparición de los barcos sin dejar ni rastro. Incluso los pilotos que han volado sobre estas zonas han informado del mal funcionamiento del giroscopio, sus radios han dejado de funcionar, han sufrido anomalías visuales e inexplicables saltos en el tiempo. En las páginas siguientes se narran algunos de los misteriosos incidentes que han ocurrido en el mar.

# El enigma del Mary Celeste

El 4 de diciembre de 1872, la bricbarca *Dei Gratia* navegaba por el este de las Azores cuando se encontró con el bergantín *Mary Celeste*. Ambos barcos habían salido de Nueva York un mes antes: el *Mary Celeste* con la esposa del capitán y su hija como pasajeros; el *Dei Gratia* con el capitán y sus siete triuplantes a bordo.

Era evidente que alguna cosa no iba bien a bordo del *Mary Celeste*. Sus velas estaban rotas y destrozadas. Nadie llevaba el timón. Cuando la tripulación del *Dei Gratia* subió a bordo y gritó, la única respuesta fue el silencio. No encontraron a nadie.

El bote salvavidas había desaparecido; aparentemente había sido echado al mar. La bitácora no estaba en su lugar y la brújula estaba destrozada. La proa del barco abandonado tenía unos cortes de 2 metros sobre la línea de flotación, pero aparte de esto el barco aparecía en buen estado para navegar.

Bajo la cubierta había una espeluznante escena que sugería una rápida huida. La cama del capitán estaba llena de juguetes, como si hubiera estado jugando un niño. Los víveres y el cargamento permanecían en orden. El cuaderno de bitácora estaba intacto, pero la última entrada, escrita nueve día antes, no daba ninguna pista sobre el reciente suceso.

¿Por qué abandonó el barco su capitán? ¿Cómo desapareció junto con sus compañeros? ¿Pudo alguna locura, motín, error de los aparatos de navegación, asalto, envenenamiento, tornado o alguna perturbación de las aguas ser la causa de la desgracia? El capitán del *Dei Gratia* ordenó a algunos de sus hombres que llevaran el *Mary Celeste* hacia Gibraltar, donde una comisión del Vicealmirantazgo Británico se encargaba de resolver estas cuestiones; no encontró ninguna respuesta. Más de 100 años después, algunos creen que el *Mary Celeste* fue castigado por el diablo que habita en el Triángulo de las Bermudas.

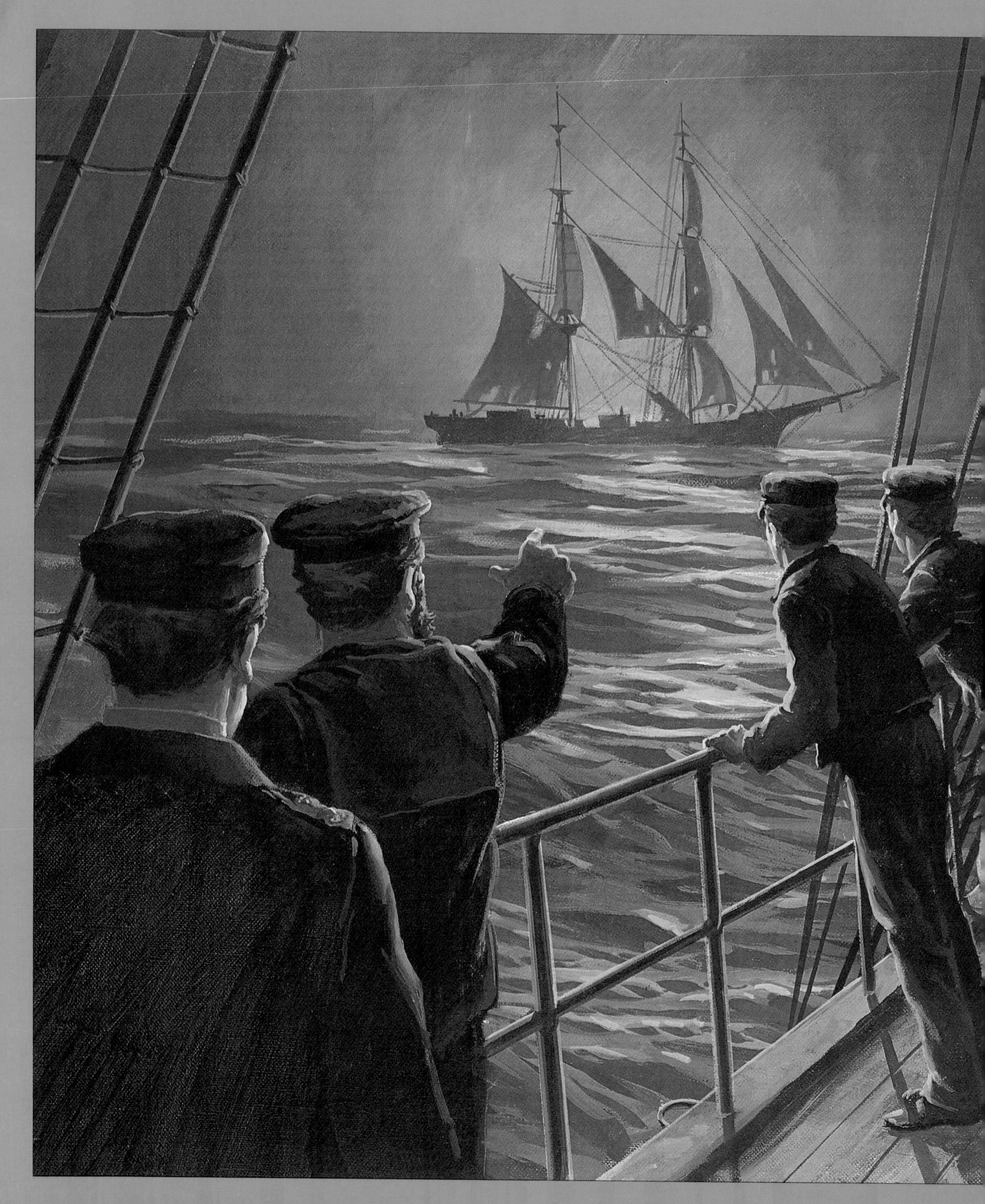

# Encuentro real con el Buque Fantasma

Aquella aurora, el cielo estaba claro y la mar en calma cuando el *Inconstante*, al servicio de su majestad, navegaba por la costa desde Melbourne hasta Sidney, Australia, el 11 de julio de 1881. De repente, el vigía del castillo de proa avisó que se acercaba la proa de un barco. Los oficiales y la tripulación –trece en total– se agruparon en la borda para observarlo.

Según los diarios de dos guardiamarinas reales que estaban a bordo, el príncipe Jorge (después rey Jorge V) de Inglaterra y su hermano, el príncipe Alberto Víctor, la nave parecía «una extraña luz roja, como un barco fantasma brillando en la oscuridad». Los «mástiles, los palos y las velas resaltaban intensamente». Pero poco después, la aparición se desvaneció y no quedó «ningún vestigio ni señal alguna del barco».

Los testigos creyeron haber visto *el Buque Fantasma,* el legendario barco que ha perseguido a los navegantes durante siglos. La leyenda, con numerosas versiones, es la siguiente: Un capitán holandés navegaba con su barco por el Cabo de Hornos en medio de una tormenta y contra las súplicas de la aterrorizada tripulación que le rogaba volver al puerto. Apareció el Espíritu Santo: el endemoniado capitán disparó su pistola y maldijo al Señor. Por su blasfemia, el capitán fue condenado a navegar por los mares eternamente y a no volver nunca a tierra. Los navegantes dicen que un encuentro con *el Buque Fantasma* presagia desastres.

Así fue para el *Inconstante*. Los diarios reales informan que más tarde, aquella mañana, el desafortunado vigía cayó de las crucetas del mastelero de proa y quedó «totalmente destrozado». Al llegar a puerto, el capitán del barco cayó gravemente enfermo. Parecía que ni siquiera la presencia de un barco de su majestad podía evitar la maldición del *Buque Fantasma*.

# Fatídica misión en el Triángulo de las Bermudas

El 5 de diciembre de 1945, a las 2:10 p.m., cinco bombarderos Avenger despegaban de la pista de Fort Lauderdale Naval Air Station. El instructor de vuelo, el teniente Charles G. Taylor, dirigía trece pilotos de Vuelo 19 en un ejercicio rutinario de entrenamiento. Pero –inquietantemente– el recorrido pasaba sobre lo que hoy se conoce como el Triángulo de las Bermudas, donde tantos barcos y aviones han sido víctimas de un misterioso destino.

Vuelo 19 empezó tranquilamente. Pero a las 3:40 p.m. un inquietante mensaje de Taylor a otro avión de su escuadrón fue interceptado por el teniente Robert Cox que volaba sobre Fort Lauderdale en otro ejercicio. «¿Qué ocurre?», preguntó Cox a Taylor. «Mis brújulas no funcionan y estoy tratando de encontrar Fort Lauderdale», contestó Taylor. Durante los 45 minutos siguientes, Cox intentó averiguar la posición de Taylor y guiarle hacia tierra orientándole hacia el sol, pero aunque hacía un día despejado, Taylor parecía incapaz de encontrarlo. Finalmente, la transmisión de Taylor fue desvaneciéndose hasta detenerse. Luego, inexplicablemente, la radio de Cox también se apagó. Volvió al campo de Fort Lauderdale.

La base de Port Everglades, mientras, había establecido contacto intermitente con Vuelo 19, confirmando las observaciones de Cox. Finalmente, a las cinco y quince minutos aproximadamente, la base oyó un desesperado mensaje procedente de Vuelo 19: «Volaremos dirección oeste hasta que encontremos la playa o nos quedemos sin combustible.»

Las autoridades de Fort Lauderdale ordenaron su búsqueda y poco después un avión Mariner surcaba los aires. Pero el Mariner no regresó.

Durante los siguientes cinco días otros aviones de búsqueda hicieron más de 930 salidas sobrevolando la zona, pero no encontraron resto alguno ni del Mariner ni de los Avengers. Casi todos los analistas creen que ésta y otras desapariciones que han ocurrido en esta zona se deben a los peligros normales del aire y del mar. Pero los investigadores de lo oculto creen que tales desastres se deben a las fuerzas malignas que habitan en el Triángulo de las Bermudas.

28

# Un salto en el tiempo y en el espacio

Fue la «nube en forma de cigarro», recordó, lo que hizo suponer a Bruce Gernon Jr. que su vuelo, el 4 de diciembre de 1970, no sería un vuelo normal. Con su padre como copiloto, Gernon acababa de despegar en su Beechcraft Bonanza de la isla de Andros, en las Bahamas, en dirección a Palm Beach, Florida.

Gernon recuerda que aceleró con rapidez para evitar la espesa nube, pero parecía subir a su encuentro y luego rodearle. Divisó un pequeño túnel en la nube y lo atravesó esperando encontrar el azul del cielo al otro lado. Pero no era una nube normal. «Las blancas paredes centelleaban con pequeñas nubes de color blanco que giraban en el interior como las agujas de un reloj», recordó Gernon más tarde. El avión parecía haber cogido una velocidad sobrenatural y, durante unos segundos, Gernon y su padre experimentaron la ingravidez. Luego, el avión salió del túnel y entró en una neblina de color verde claro, que no era el cielo azul que había visto delante.

Tratando de fijar su posición, Gernon se sobresaltó al observar que la brújula giraba como las agujas del reloj. Su equipo de navegación había dejado de funcionar y no podía entrar en contacto con la estación de control.

A través de la neblina divisó una isla y, calculando el tiempo de vuelo, pensó que debían ser los cayos de Bimini. Minutos después, Gernon identificó el lugar como Miami Beach. Pero, ¿cómo podía ser? Había transcurrido poco más de la mitad del tiempo de vuelo previsto.

Aterrizando en Palm Beach, Gernon comprobó su reloj. Un viaje que normalmente duraba setenta y cinco minutos, sólo había durado cuarenta y cinco y había quemado cuarenta y seis litros de combustible menos de lo normal.

Durante los años siguientes, Gernon se consideró uno de los pocos afortunados que vivían para explicar su inexplicable viaje a través del Triángulo de las Bermudas, habiendo sido la víctima de un aparente salto en el tiempo.

4146A
Richard Schlecht

# Los secretos de la Gran Pirámide

A principios de 1985, y al cabo de unos días de haber estado buceando en la costa egipcia del Mar Rojo, dos arquitectos franceses fueron de visita turística a la gran pirámide de Keops, en Gizeh. Mientras contemplaban la enorme construcción, observaron una serie de cosas que parecían no tener sentido. Por ejemplo, algunos de los grandes bloques de piedras están apilados verticalmente, en vez de escalonados en su forma habitual. Y en ciertas partes de la pirámide afloran piedras desbastadas entre piedras calizas pulidas.

Al igual que generaciones de visitantes de la pirámide llegados antes que ellos, los dos franceses, Gilles Dormion y Jean Patrice Goidin, quedaron fascinados por el grandioso monumento. E igual que tantos otros creyeron que podían penetrar en sus misterios. Las anomalías en la estructuras, dedujeron los arquitectos, eran pistas para salas ocultas, y desconocidas anteriormente, en el interior de la pirámide. Pensaron, incluso, que una de esas cámaras secretas pudiera contener los restos del mismo faraón Keops, resolviendo así uno de los eternos misterios de la pirámide: ¿Dónde está el cuerpo para el que se contruyó la tumba?

Dormion y Goidin contaban con la considerable ventaja de los avances tecnológicos con respecto a anteriores estudiosos de pirámides. Después de varias visitas de exploración a los pasadizos de piedras, en agosto de 1986 volvieron con un microgravímetro, un instrumento muy sofisticado capaz de detectar vacíos de densidad, o huecos, dentro de la pirámide.

Detrás de los muros de un pasillo que conduce a la habitación conocida como la Cámara de la Reina, el aparato detectó los vacíos que los arquitectos habían predicho. Alentados, los dos hombres consiguieron el permiso de las autoridades egipcias para perforar en los viejos muros de piedra caliza en busca de los secretos de la pirámide.

Durante días, los arquitectos y sus colegas trabajaron en los estrechos pasadizos, perforando hasta casi dos metros de roca en tres lugares distintos. Pero lo único que encontraron fueron bolsas de arena fina y cristalina: el microgravímetro, al parecer, podía señalar la presencia de huecos dentro de la pirámide, pero no su localización exacta. Las cámaras secretas, si existen, continúan escondidas. La Gran Pirámide había desbaratado otro intento en la larga, frustrante y apasionante búsqueda de descubrir sus enigmas.

Desde los tiempos de la Grecia clásica, la gente ha contemplado esta única superviviente de las siete maravillas de la antigüedad y se ha hecho preguntas que no podía responder ¿Por qué se construyó? Si era una tumba, como ha dado por supuesto la sabiduría convencional, ¿por qué no se han encontrado símbolos o posesiones reales, y mucho menos un cadáver real? Si no era una tumba, ¿qué era? ¿Y cómo se construyó? ¿Cómo, dadas las técnicas constructoras de la época, se puede explicar la sorprendente precisión de la edificación, su alineación casi perfecta con la abertura de un compás, la exquisita exactitud de su albañilería? Si el diseño de la pirámide está basado en conocimiento matemáticos y astronómicos avanzados, como creen muchos investigadores, ¿cómo adquirieron sus constructores tales conocimientos y con tanta anticipación a otras civilizaciones? ¿Podría la enigmática estructura albergar algún tipo de poderes místicos, más allá del reino de la ciencia convencional?

Algunos arqueólogos, astrónomos, teólogos y apasionados de la pirámide, han debatido estas cuestiones a lo largo de siglos. Mientras los arqueólogos consideran la estructura simplemente como un artefacto histórico, otros investigadores se incluyen por lo general en tres escuelas de pensamiento. La primera, y la más corriente, sostiene que la pirámide representa un sistema universal de medidas, que sus mismas dimensiones encarnan medidas arquetípicas de espacio e incluso de tiempo. Un grupo disidente de estudiosos de la pirámide del siglo XIX fundó la segunda escuela, que se centra en las extraordinarias propiedades de la construcción como gigantesco reloj de sol y observatorio astronómico. Los llamados arqueoastrónomos aseguraban que los constructores de la pirámide, fueran quienes fueran, poseían conocimientos de astronomía y de las dimensiones de la Tierra muy superiores a lo anteriormente imaginado.

Conforme fue creciendo la fascinación por la pirámide en el siglo XX surgió una tercera escuela, mucho más especulativa, que se concentraba en la forma de la pirámide y sus supuestos efectos físicos tanto en los seres vivientes como en los objetos inanimados. Estos investigadores aseguraban que la forma de la pirámide ayudaba a que las plantas crecieran, mantenía los alimentos frescos durante más tiempo, e incluso afilaba las cuchillas de afeitar desgastadas. Otros sostienen que la exactitud matemática de su construcción era debida a que sus autores procedían de la Atlántida, de otro planeta, o ambas cosas a la vez. La pirámide en sí mantiene un terco silencio. Nunca ha sido totalmente explorada ni completamente explicada.

La pirámide de Keops se eleva en su enigmática majestad sobre la meseta rocosa de Gizeh, a diez kilómetros al oeste de El Cairo. Vislumbrada entre las ramas de las acacias, eucaliptus y tamarindos que se alinean en la avenida que conduce al altiplano, aparece de repente sobre un llano arañado por el viento, en el borde del desierto de Libia. Una pasmosa montaña de piedras color arena oteando las exuberantes palmeras del cercano Nilo. Los viajeros de caravanas que se acercaban desde el desierto en tiempos pasados la divisaban durante días antes de llegar a ella, era un triángulo diminuto en el horizonte, magnificado por su simetría perfecta. De cerca, su grandiosidad es abrumadora. Las cifras sólo pueden sugerir su inmensidad –la base mide 13,1 acres y el edificio se compone de 2,3 millones de bloques de piedra caliza, cada uno de dos toneladas y media. La estructura tiene piedras suficientes como para construir una muralla de cubos de 929 cm hasta una tercera parte de la circunferencia del planeta medida en el ecuador, equivalente a una distancia de 16.600 millas.

La Gran Pirámide y las otras dos situadas en la meseta, y atribuidas a los sucesores inmediatos de Keops, se erigieron durante el período de la época egipcia conocido como la IV dinastía, entre el 2613 y el 2494 a.C. Los egiptólogos creen que Keops (el nombre por el que le conocían los griegos, ya que su nombre egipcio era Khufu) ordenó la construcción de la pirámide como tumba para él. El armazón exterior estaba originariamente compuesto por piedras calizas pulidas encastadas con sorprendente precisión, pero este revestimiento se arrancó en el siglo XIV para utilizarlo en la construcción de El Cairo. En algún momento de la historia también se la desposeyó de la piedra que la coronaba y que formaba los últimos 944 cm.

Los egiptólogos han utilizado su conocimiento de la religión egipcia para explicar el significado de la forma de la pirámide, sosteniendo que podía estar relacionada con el culto al Sol. Las paredes en ángulo, dicen, parecen los rayos del Sol descendiendo hacia la Tierra desde una nube, y de eta forma la pirámide representa una escalera hacia el cielo. Algunos estudiosos del *Libro de los Muertos,* tales como el escritor ocultista contemporáneo Manly P. Hall, incluso afirman que la pirámide proporcionaba más que un simple tránsito figurativo hacia el reino celestial. Según Hall, el edificio era un templo secreto donde los elegidos experimentaban un ritual místico que les transformaba en dioses. Los iniciados yacían durante tres días y tres noches dentro de la pirámide mientras su *ka* –el alma o espíritu– abandonaba su cuerpo y entraba en la «esfera espiritual del espacio». Durante el proceso, los candidatos «conseguían la verdadera inmortalidad» y se convertían en émulos de dioses.

Cuestiones más terrenales rodean el tema de cómo, en una época en la que aún no existían ni la polea ni la rueda, se pudo construir la enorme pirámide. Pero los arqueólogos están de acuerdo en una suposición: los constructores, de alguna forma, nivelaron el solar y luego alinearon las caras del edificio observando repetidamente las estrellas circumpolares para determinar el sentido exacto. En canteras situadas a pocos kilómetros, los obreros cortaban la piedra caliza con martillos de piedra y cinceles de cobre. Las cuadrillas, que consistían en cientos de obreros, arrastraban los bloques hasta el solar; el granito utilizado en algunas partes interiores era transportado por el Nilo desde un lugar situado a 500 kilómetros y se subía por una carretera elevada desde el río. Para colocar los bloques en las caras de la creciente pirámide, podían haber utilizado una rampa de tierra en forma de espiral, aunque algunos expertos creen que levantaban la piedra con tablones y guías de madera. Luego se encastaban los bloques con una precisión asombrosa, demostrando un conocimiento de la ingeniería que impresiona incluso a los constructores actuales.

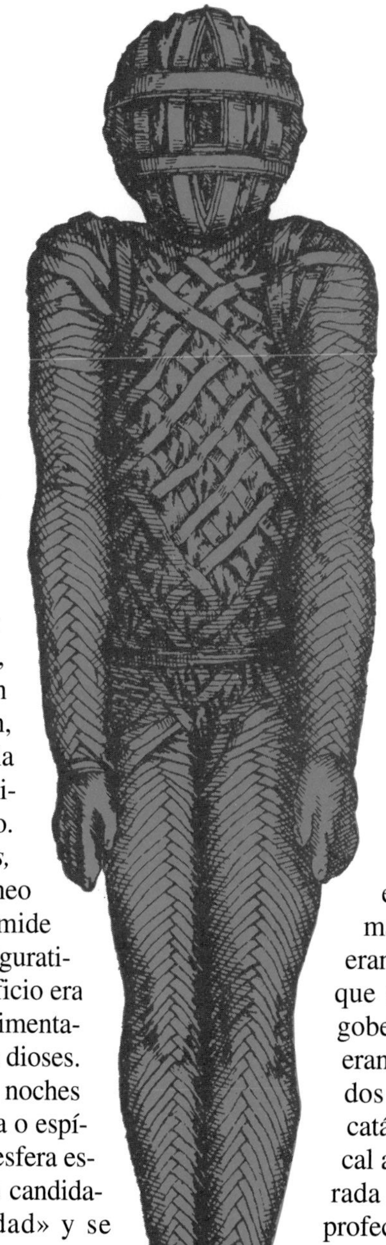

Muchos observadores han puesto en duda que una estructura tan grandiosa como la Gran Pirámide –un milagro de la ingeniería, un prodigio de décadas de trabajo agotador bajo el ardiente sol– se hubiera destinado únicamente a albergar una momia real. Desde la era precristiana han surgido otras explicaciones alternativas. El historiador romano Julio Honorio aseguró que las pirámides eran graneros. (Otro historiador anterior opinaba que eran volcanes extinguidos.) Los árabes que gobernaron Egipto durante siglos, pensaban que eran depósitos de viejos conocimientos, construidos por gobernantes anteriores que temían una catástrofe, tal vez una inundación; la tradición local aseguraba que la Gran Pirámide tenía incorporada tanto una guía hacia las estrellas como las profecías del futuro. A la leyenda siguió la superstición: los fantasmas patrullaban en los pasillos, decían los árabes, al igual que una mujer desnuda con dientes repugnantes que seducía a los intrusos y les hacía enloquecer.

El historiador griego Herodoto fue el primer visitante que recopiló información y dejó constancia escrita sobre la Gran Pirámide de forma sistemática. Herodoto visitó Gizeh en el siglo V a.C., cuando la estructura ya tenía 2.000 años de antigüedad, y escribió una descripción de su construcción basada en sus conversaciones con egipcios de la localidad. Ante la imposibilidad de penetrar en el edificio (su entrada estaba oculta), aceptó la afirmación de sus informadores de que era una tumba construida para el tirano

Khufu. El cadáver del rey, le dijeron, estaba debajo del suelo.

Según Herodoto, trabajaron en la pirámide cien mil hombres, con cuadrillas de refresco cada tres meses. Construyeron la carretera elevada desde el río hasta la meseta en diez años; la pirámide en sí costó otros veinte años de trabajo hasta quedar finalizada. Los ingenieros iban subiendo las gigantescas piedras por las caras del edificio paso a paso utilizando «máquinas formadas por tablones cortos de madera». Herodoto no explica cómo funcionaban tales máquinas. También se le explicó que se habían instalado piedras de revestimiento exteriores desde la cima, una vez colocada la bastida interior. Estas piedras, brillantes y pulimentadas, estaban cubiertas de inscripciones –que más tarde se perdieron cuando las piedras se acarrearon a El Cairo.

A Herodoto le interesó la Gran Pirámide principalmente como proyecto de ingeniería. Pero el siguiente visitante conocido en la historia tenía otro punto de vista distinto sobre la estructura e introdujo lo que iba a convertirse en un tema constante en los estudios de la pirámide: la búsqueda del conocimiento matemático poseído por los antiguos.

Abdullah Al Mamun, un califa árabe del siglo IX, era un joven gobernante de mentalidad científica y un interés especial por la astronomía. Su sueño era trazar un mapa del mundo y elaborar un esquema del cielo. Se interesó por la pirámide al saber que se decía que en sus cámaras secretas había mapas y cartas astrales muy precisos elaborados por los constructores de la pirámide. Además, y tal vez de mayor interés para los compañeros de expedición del califa, se decía que había un gran tesoro oculto en alguna parte de su interior.

Más tarde los historiadores árabes relataron la dramática historia de cómo el califa y su equipo de arquitectos, constructores y albañiles se pusieron manos a la obra en el 820 a.C. Incapaces de encontrar una entrada a la inescrutable estructura, lanzaron un ataque frontal, calentando los bloques de piedra caliza con fuego y apagándolo con vinagre frío hasta que se resquebrajaban. Después de excavar hasta tres metros de piedra de esta forma, los exploradores llegaron por fin a un estrecho pasadizo de 1,20 m de altura que subía muy empinadamente. En la parte superior encontraron la entrada original de la pirámide, a 15 metros del suelo, bloqueada y escondida por una puerta de piedra con pivote. Después de hacerla girar, los exploradores siguieron el pasadizo en descenso. Después de andar a gatas en la oscuridad, el disgusto fue mayúsculo al encontrar tan sólo una cámara vacía e inacabada. Si había documentos secretos o el tesoro de un faraón dentro de la pirámide, debía de ser en otra parte.

Sin embargo, renació el entusiasmo cuando los hombres de Al Mamun volvieron al pasadizo y descubrieron lo que parecía otro corredor empinado. Por desgracia, la entrada estaba totalmente obstruida por un enorme tapón de granito, colocado allí a propósito. El granito se mostró insensible a sus martillos y cinceles, pero los testarudos árabes descubrieron que podían picar las piedras menos resistentes que lo rodeaban. Pero, tan pronto como lo hicieron, encontraron otro obstáculo de granito y a continuación varios más. Alguien había decidido prohibir a los intrusos el paso al santuario interior de la pirámide.

Después de abrirse paso penosamente entre varias series de obstáculos graníticos, los exploradores salieron a un pasillo de techo bajo que subía hasta cruzarse con otro nivelado. Éste les condujo a una habitación de cinco metros cuadrados y seis de altura con doble techo y que después sería conocida como la Cámara de la Reina (debido a la costumbre árabe de enterrar a las mujeres en tumbas con tejado de dos vertientes). Aunque no había ni rastro de ninguna reina: esta sala también estaba vacía.

Los abatidos árabes regresaron al pasadizo anterior y descubrieron que de repente se abría a un espléndido pasillo,

*Exploradores árabes investigando la Gran Pirámide suben por la galería principal, de piedra caliza. En primer plano, un pozo se adentra en el corazón de la pirámide y un estrecho pasadizo conduce a la Cámara de la Reina. En la Cámara del Rey (véase recuadro) todavía permanece el misterio: un sarcófago pulido, que posiblemente perteneció al faraón Keops, está vacío y sin utilizar.*

cuyas paredes de piedra caliza pulida, de 6 metros de altura, le convirtieron después en la Gran Galería. Pendiente arriba, la galería subía aún otros 45 metros antes de desembocar en una antecámara; detrás estaba la sala más grande de su interior, un imponente aposento de 10 x 5 x 6 m que luego recibió el nombre de Cámara del Rey.

Al Mamun y sus hombres cruzaron ansiosos el umbral, sin duda convencidos de que éste era el fabuloso premio por el que tanto se habían esforzado. Y allí, contra una pared de granito rojo, lo vieron –un sarcófago de colores amarronados, tan grande que la cámara debía de haberse construido a su alrededor. Enarbolando las antorchas, los exploradores se precipitaron a mirar en su interior. No había nada. El sarcófago de granito estaba vacío.

Presos de la desesperación, los árabes arrancaron parte del suelo y destriparon las paredes, esperando encontrar algún rastro de un tesoro. Al Mamun sólo pudo llegar a la conclusión de que el sarcófago vacío era todo lo que había habido siempre, o que los saqueadores habían vaciado la sala mucho tiempo atrás. Pero si otros intrusos anteriores habían conseguido llegar hasta la cámara, quedaba una pregunta básica sin respuesta: ¿Cómo habían logrado sortear los escollos de piedra que habían bloqueado al califa y a sus hombres?

Pasaron ochocientos años antes del siguiente intento de búsqueda de misterios de la pirámide. Durante este tiempo, Europa había emergido de las Edades Bárbaras a una era luminosa de expansión y exploración. Pero los aventureros, mercaderes, y gobernantes aún estaban atados por su ignorancia de la geografía mundial y por la falta de una única medida internacional aceptada de peso, longitud y grado geográfico. En busca de respuesta, los estudiosos volvieron sus ojos, como solían hacer muy a menudo, hacia los antiguos, confiando en encontrar alguna unidad de medida olvidada, basada en el conocimiento preciso de las dimensiones de la Tierra.

En dicha búsqueda, el matemático británico John Greaves visitó Egipto en 1638. El estudioso, un joven de treinta y seis años, había pasado la mayor parte de su vida dentro de los confines escolares, primero en Oxford y luego como profesor de geometría en el Gresham College de Londres. Pero Greaves llegó a la conclusión de que los libros no podían substituir a la experiencia. Viajó primero a Italia,

## La luna de miel de un ocultista

Muchos visitantes que han pasado una noche en el interior de la Gran Pirámide han informado de hechos sorprendentes, pero la experiencia más extraña, la relató Aleister Crowley, supuesta «Bestia Negra» del ocultismo.

Crowley era un inglés que había fundado una sociedad secreta dedicada a lo que llamó magia sexual. Visitó la pirámide durante su luna de miel en 1903, declarando su intención de pasar una noche en la Cámara del Rey. Cómodamente instalado allí con su esposa, encendió una vela y empezó a leer un conjuro. De repente, informó después Crowley, una débil luz color violeta inundó la sala, permitiéndole continuar su lectura sin necesitar la vela.

Pese a esta iluminación mística, Crowley tuvo una queja bastante prosaica con respecto a su suite nupcial. La dureza del suelo.

No ha quedado constancia de la opinión de la señora Crowley.

*La edificación mayor es la Gran Pirámide de Keop*

*as otras son monumentos a los sucesores del faraón.*

donde midió los monumentos romanos hasta encontrar el legendario pie romano (la fracción de una pulgada menos que el pie británico) y después a Gizeh.

Greaves creía, igual que el califa árabe del siglo IX antes que él, que los constructores de la pirámide poseían conocimientos geométricos ahora perdidos para el mundo. Esperando descubrir la unidad de medida que habían empleado, Greaves apiló los 12 metros de escombros que rodeaban la base de la pirámide, instrumentos en mano, y entró a través de la entrada improvisada de Al Mamun.

Lo primero que encontró fue una bandada de murciélagos a los que dispersó disparando la pistola. Luego se introdujo a través de las grietas de piedra caliza, como habían hecho los árabes, y midió la Cámara del Rey y el sarcófago (1,95 m de largo), lo cual le indicó que las dimensiones humanas no habían cambiado y se quedó maravillado por la perfecta albañilería. Sin embargo, su mayor descubrimiento fue un estrecho pozo que caía en plomada hasta la oscuridad desde la parte inferior de la Gran Galería ¿Era una vía de escape para los constructores una vez habían colocado los tapones de granito? ¿Un pasadizo de huida para los saqueadores? Greaves jamás lo descubrió; los murciélagos y el aire viciado le obligaron a abandonar un descenso de reconocimiento al cabo de únicamente dieciocho metros. Greaves finalizó sus estudios de la pirámide calculando la altura y la base de su estructura, fijando la primera en ciento cuarenta y cuatro metros y la segunda en doscientos siete metros por lado; esta última estimación resultó inferior a la marca. Después volvió a casa para presentar sus datos en un opúsculo titulado *Pyramidographia.*

El matemático no había encontrado la unidad básica de medida que buscaba, pero el opúsculo, con sus mediciones y descripción de la pirámide, llegó a algunas de las más grandes mentes de la época. Por ejemplo, William Harvey, descubridor de la circulación de la sangre, dedujo correctamente que a Greaves se le había pasado por alto un sistema de ventilación dentro de la pirámide (descubierto más tarde por otros exploradores); el físico Sir Isaac Newton utilizó las cifras de Greaves para obtener medidas que llamó cubitales sacros y profanos. Newton confiaba en que dichas unidades básicas le ayudaran a determinar la circunferencia de la Tierra, un dato esencial para su teoría de la gravitación. Por desgracia, los números de Greaves no eran lo bastante precisos para sus propósitos, y Newton tuvo que esperar algunos años hasta que los científicos establecieran la longitud de un grado geográfico.

El siguiente asalto, literal, a las pirámides se produjo en julio de 1798. Las disciplinadas tropas capitaneadas por el general Napoleón Bonaparte esgrimiendo cimitarras derrotaron a los egipcios en la Batalla de las Pirámides. Y no pasó mucho tiempo antes de que el joven Bonaparte empezara a atacar

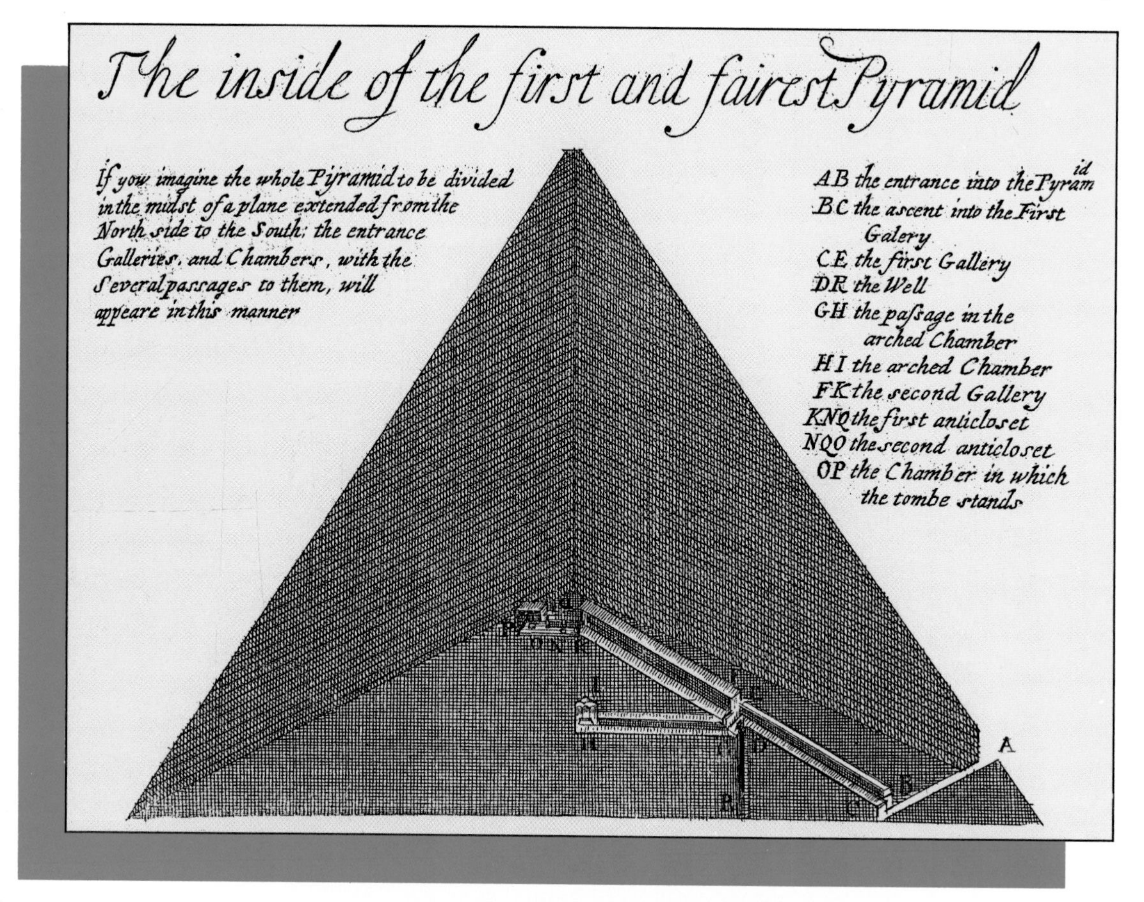


***Un corte transversal del libro* Pyramidographia *muestra los pasadizos, cámaras y galerías de la Gran Pirámide, tal y como estaba calculada en 1638.***

*Los pasadizos oscuros y fríos de las pirámides resultaron un hábitat ideal para los murciélagos, para desesperación de los primeros exploradores. Los excrementos convertían los pasadizos inclinados en una peligrosa pista de patinaje.*

los secretos de la Gran Pirámide en la meseta de Gizeh con un cuerpo de científicos franceses –sabios, se les llamaba– que se incorporaron a su ejército. Los sabios estaban intrigados por muchos de los misterios sobre la pirámide y sus constructores, los mismos que habían preocupado a John Greaves más de un siglo y medio antes. El más importante entre los estudiosos de pirámides era un joven científico llamado Edmé-François Jomard, que había estudiado el limitado archivo de literatura sobre el tema, en gran parte poco de fiar, que se había ido acumulando durante siglos. Al igual que Greaves, estaba especialmente ansioso por establecer la unidad de medida utilizada por los constructores y descubrir si dichas medidas se habían derivado de las dimensiones de la Tierra –como era el caso del sistema métrico, que la Francia revolucionaria acababa de adoptar. El metro había sido definido como 1/10.000.000 del cuadrante de la circunferencia de la Tierra desde el polo norte al ecuador.

Jomard y sus colegas abandonaron de inmediato su intento de investigar el interior de la pirámide cuando se encontraron con enormes cantidades de guano depositadas por los murciélagos residentes. Los indignados animales, tal y como informó un veterano coronel francés, «arañaban con sus garras y sofocaban con el hedor acre de sus cuerpos». Disuadidos, los sabios se dedicaron a la estructura exterior. Ayudados por una fuerza motriz de 150 turcos, apartaron toneladas de tierra y escombros de las esquinas noroeste y nordeste y descubrieron dos hoyos rectangulares en la base de roca, donde permanecían las piedras angulares, llevadas hasta allí siglos antes. Esto les proporcionó dos buenas áncoras para medir la base de la pirámide, aunque su trabajo se vio entorpecido por montones de escombros a lo largo de la pared norte.

Primero Jomard midió un lado de la base: 230,9 metros. Luego avanzó con grandes dificultades hasta la plataforma de 30 metros cuadrados situada en la parte superior de la pirámide truncada, intentando sin éxito lanzar con una honda una piedra a la base, y midiendo con paciencia la altura de cada escalón durante el descenso: altura total, 146,6 metros o 481 pies. Con estas cifras, Jomard calculó el ángulo de pendiente de la pirámide que dio como resultado cincuenta y un grados y diecinueve minutos, y su apotema –la línea desde el ápex al punto medio de cada una de sus cuatro caras en la base– dio como resultado 184,7 metros o 606 pies.

El joven científico sabía que escritores anteriores habían dejado constancia de que la apotema de la pirámide medía un estadio. Recordó también que el largo de un estadio, una unidad básica de medida de la antigüedad, se creía que estaba relacionado con la circunferencia de la Tierra. Así que su cifra para la apotema tenía truco. Jomard se dedicó entonces a la cubital, otra medida de longitud antigua. Herodoto había escrito que un estadio equivalía a 400 cubitales, así que el francés dividió su cifra de la apotema por 400, lo cual le daba una medida cubital de 0.4618 metros. Otras autoridades griegas sobre el tema habían declarado que la base de la Gran Pirámide medía 500 cubitales de largo. Cuando Jomard multiplicó su 0.4618 por 500, el resultado era 230,9 metros, exactamente el total que había calculado para el largo de la base.

Para Jomard el mensaje era claro. Los egipcios tenían

# La voz de la Esfinge

Elevada a unos veinte metros sobre las arenas llevadas por el viento de la meseta de Gizeh, la Esfinge ha sido durante milenios tan fascinante como majestuosa. Para muchos, su rostro impasible y la sonrisa maliciosa han llegado a encarnar la perdida sabiduría del mundo antiguo.

La edificación más enigmática se construyó con piedra de las canteras ya utilizada para las pirámides de Gizeh. Alrededor del 2700 a.C., los canteros cortaron la mejor y más dura piedra para la Gran Pirámide y sus vecinas, descartando el lecho de roca más débil. Los albañiles transformaron entonces estos restos en la Gran Esfinge, esculpiendo su enorme cabeza con una imagen sublimizada del faraón Kefrén, completándola con un tocado.

*Después de desenterrar la Esfinge, Tutmosis IV conmemoró su sueño con una lápida de granito.*

A lo largo de siglos, las tormentas de arena han amenazado engullir la Esfinge y han creado una de las leyendas que más han perdurado: alrededor del 1400 a.C., cuando la Esfinge estaba enterrada hasta el cuello, un príncipe que iba de cacería hizo un alto para descansar a la sombra de la cabeza de la estatua y se quedó dormido. En sueños, oyó la voz de la Esfinge que le prometía hacerle rey de Egipto por delante de sus hermanos mayores si apartaba la tierra. Al despertarse, el príncipe juró mantener su parte del trato. Realizó el trabajo poco después de subir al trono con el nombre de faraón Tutmosis IV.

*La leyenda asegura que cuando la Esfinge estaba enterrada en la arena, los visitantes buscaban sabiduría en sus labios.*

conocimientos avanzados de geometría. Sabían el tamaño de la Tierra, y derivaban sus unidades de medida a partir de su circunferencia, y aplicaron estos conocimientos a la Gran Pirámide. La prueba estaba en las piedras.

Por desgracia para Jomard, las medidas realizadas con instrumentos inexactos entre las arenas movedizas del desierto podían ser inexactas. La tarea de medición de las pirámides se veía muy complicada por la arena y los escombros arrastrados por el viento que se apilaban alrededor de toda la estructura; los investigadores tenían que dedicarse a penosos trabajos de excavación únicamente para llegar a la base y medirla. No resulta pues sorprendente que los colegas de Jomard, después de medir una y otra vez la base y la altura, llegaran a resultados diferentes. Además, puntualizaban, no se podía encontrar ninguna prueba del cubital de Jomard en otras edificaciones egipcias de la antigüedad.

Finalmente, los eruditos franceses se negaron a abandonar su convencimiento de que habían sido los griegos, y no los egipcios, quienes descubrieron la ciencia de la geometría. Cuando volvieron a su país y publicaron un elaborado informe de veinticuatro volúmenes sobre sus descubrimientos (que incluían la piedra Rosetta, la clave para los jeroglíficos egipcios), el argumento que tan firmemente había sostenido Jomard fue muy pronto desechado.

El safari de los científicos franceses y los consiguientes resultados del mismo, que empezaron a aparecer en Europa, inspiraron una explosión de interés por todo lo egipcio. Los europeos del siglo XIX se enamoraron de Egipto: los museos se disputaban las momias, las estatuas y los obeliscos; los artistas insertaban pirámides en paisajes rústicos, los diseñadores de moda del Imperio y de la Regencia incluían motivos egipcios en sus obras, y los aristócratas tenían esfinges y cocodrilos labrados en sus muebles. El par escocés Alexander, décimo duque de Hamilton, incluso hizo que le momificaran. También los norteamericanos sucumbieron a la locura: la ciudad de Memphis, Tennessee, tomó su nombre de una antigua ciudad fluvial egipcia. En 1880, los neoyorquinos importaron un obelisco llamado la Aguja de Cleopatra y lo instalaron en Central Park.

Los temas sobre pirámides se pusieron de moda cuando la sociedad, especialmente la inglesa victoriana, entraba en tiempos difíciles, en una era en la que la ciencia moderna parecía amenazar las creencias religiosas tradicionales. Como respuesta, algunos estudiosos de tendencias religiosas se valieron de la misteriosa estructura como prueba de la presencia de la mano divina en el mundo.

El principal exponente de esta teoría fue un editor y crítico londinense llamado John Taylor. Taylor era un hombre de amplia cultura y muy religioso, experto en las Sagradas Escrituras, en matemáticas, en astrología y en literatura. Después de sus inicios como aprendiz de librero, en 1820 había llegado a director del *London Magazine*. Su distinguido círculo de amistades incluía a los poetas John Clare y John Keats. Sin embargo, «ahuyentó a la mitad de sus amigos», según uno de ellos, con lo que iba a convertirse en el tercer año de obsesión con el misterio de la Gran Pirámide.

Taylor nunca visitó Egipto; como alternativa se construyó un modelo a escala de la pirámide como ayuda para sus estudios. Descartando la hipótesis de la tumba, se dedicó a las cifras reunidas por Jomard y otros en búsqueda de principios unitarios. Ante su sorpresa, descubrió que si dividía el perímetro de la pirámide por dos veces su altura, el resultado era un número casi idéntico al valor del número pi (3,14159+), la constante que se multiplica por el diámetro de un círculo para obtener la circunferencia. Para Taylor, éste era un descubrimiento inquietante: si los constructores de la pirámide conocían pi, que no se sabía que hubiera sido correctamente calculado hasta su cuarto punto decimal hasta el siglo VI, ¿qué más sabían? De una cosa estaba seguro: sabían la circunferencia del globo y la distancia desde el centro de la Tierra a los polos.

Con pi como punto de conexión, Taylor determinó que la proporción de la altura de la pirámide a su perímetro era la misma del radio polar de la Tierra a su circunferencia: 2 pi. Lejos de ser un simple monumento funerario, concluyó Taylor, la pirámide era una expresión pétrea de la sabiduría de los antiguos. «Se construyó para dejar constancia del tamaño de la Tierra», declaró.

Pero Taylor dudaba de que los eruditos egipcios de la IV dinastía poseyeran los conocimientos empleados para la pirámide. Tal sabiduría tenía que provenir de Dios. «Es probable –escribió– que a algunos seres humanos, en los primeros tiempos de la sociedad, el Creador les dotara con cierto grado de poder intelectual, lo cual les elevaba muy por encima del nivel de los futuros habitantes de la Tierra.» Dios había inspirado a los constructores de la pirámide igual que había enseñado a Noé a construir el arca, según Taylor, quien también creía que la humanidad había decaído en picado intelectualmente después de eso.

Taylor tenía setenta y ocho años cuando su libro *The Great Pyramid: Why Was It Built? ¿And Who Built It?* apareció en 1859. Si bien sus teorías dogmáticas fueron bien recibidas en algunos círculos, la Royal Society declinó con toda educación escuchar un documento que había elaborado sobre el tema. Pero unos años después, antes de su muerte, había hecho al menos un converso influyente: Charles Piazzi Smyth, real astrónomo de Escocia.

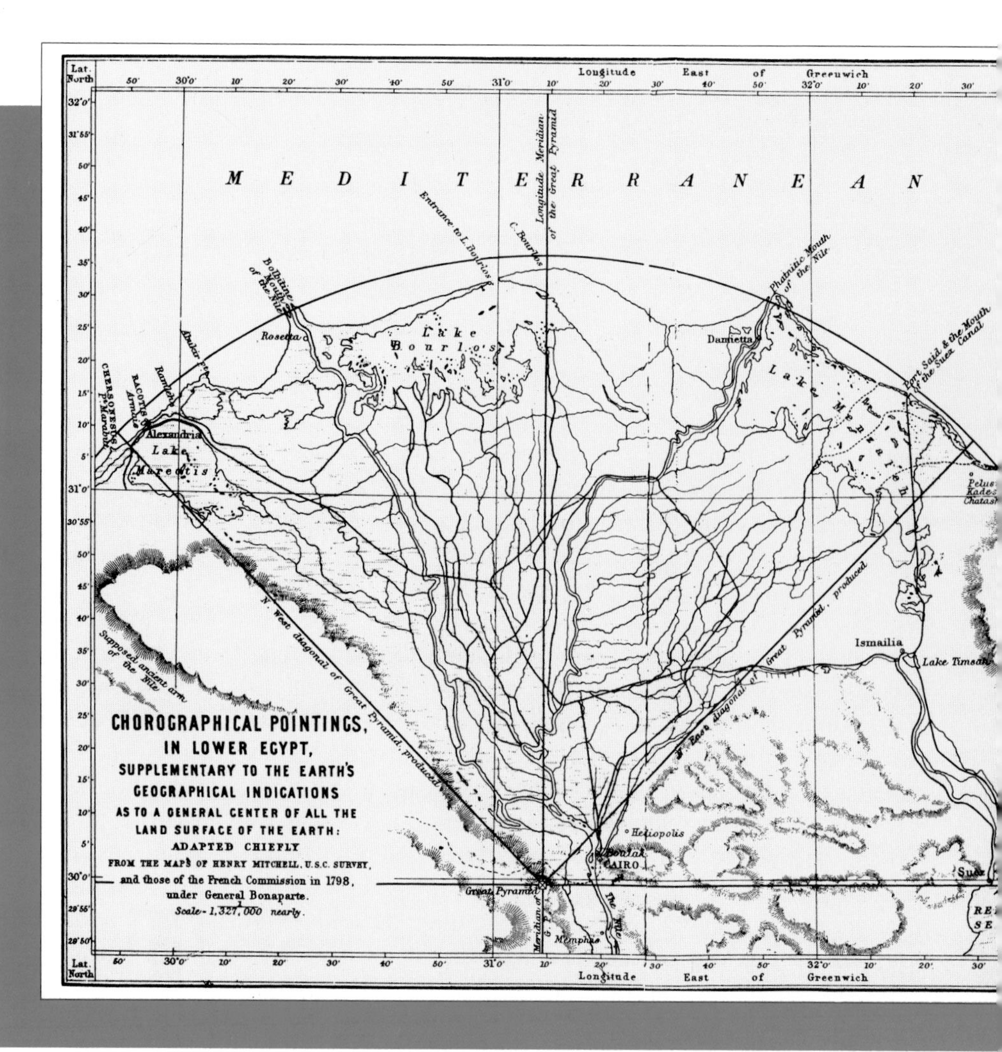


Las credenciales sociales e intelectuales de Smyth igualaban a las de Taylor. Era hijo de un almirante y ahijado del renombrado astrónomo italiano Giuseppe Piazzi, descubridor del primer asteroide conocido. Los logros de Smyth en astronomía le habían hecho merecedor del puesto en Escocia a la temprana edad de veintiséis años; doce años después, un estudio muy importante sobre óptica le supuso su elección para la Edinburgh's Royal Society, un honor codiciado por cualquier científico. Pero la piramidología, un tema muy poco popular en la Royal Society en aquel entonces, llegaría a dominar su carrera profesional.

Cautivado por Taylor, Smith se adhirió a la causa del moribundo con un ardor que, al igual que él, era científico y religioso a partes iguales, con una pincelada de patriotismo. Sus lecciones le convencieron de que la unidad básica de medida era lo que él llamaba la pulgada piramidal, una distancia que identificaba como 1/25 de un cubital y dentro de una milésima parte de una pulgada británica. Esto supuso munición oportuna en la campaña de los científicos británicos contra la adopción del sistema métrico ideado por los franceses, una propuesta que Smyth contemplaba con alarma nacionalista.

A finales de 1864, el astrónomo de 45 años salió para Egipto con su esposa para hacer lo que Taylor no había hecho: realizar su propia investigación y mediciones. Acompañado de camiones cargados con los instrumentos más modernos, incluida una cámara fotográfica, los Smyth instalaron su campamento en una tumba abandonada con escalones, donde podían reclinarse en taburetes plegables y observar bandadas de murciélagos que salían volando de la pirámide al anochecer. Smyth pasó varias noches en la parte superior del edificio, haciendo observaciones astronómicas que demostraban que la pirámide estaba situada a unos minutos de latitud treinta grados al norte. También observó que la sombra de la pirámide desaparecía completamente en el equinoccio de primavera y llegó a la conclusión de que esto indicaba conocimientos muy avanzados de astronomía. Su medición de las dimensiones exteriores daba como resultado cifras que se ajustaban a pi, incluso con mayor precisión que las de Taylor, hasta el quinto dígito después del punto decimal.

Smyth estaba de acuerdo con la opinión de Taylor de que la Gran Pirámide encerraba la sabiduría científica de los antiguos. Sus medidas de empotrado eran «lo más admirable y sorprendente que mente humana haya podido concebir». Smyth llegó incluso más lejos que Taylor al asegurar que se incorporaron medidas de tiempo así como de distancia en la

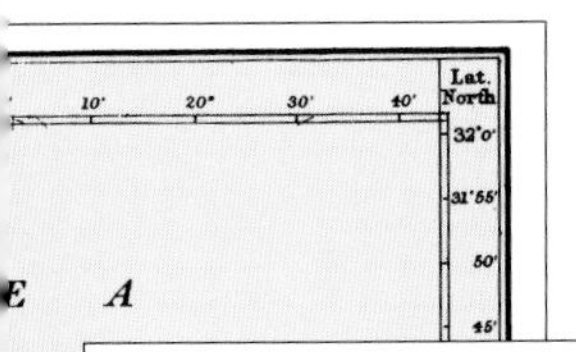


***Los mapas de la meseta de Gizeh indican el extraordinario conocimiento geográfico en la construcción de la Gran Pirámide. Abajo, un plano de la meseta muestra el alineamiento exacto norte-sur, y a la derecha una vista revela que la estructura está situada en el ápex del delta del Nilo.***

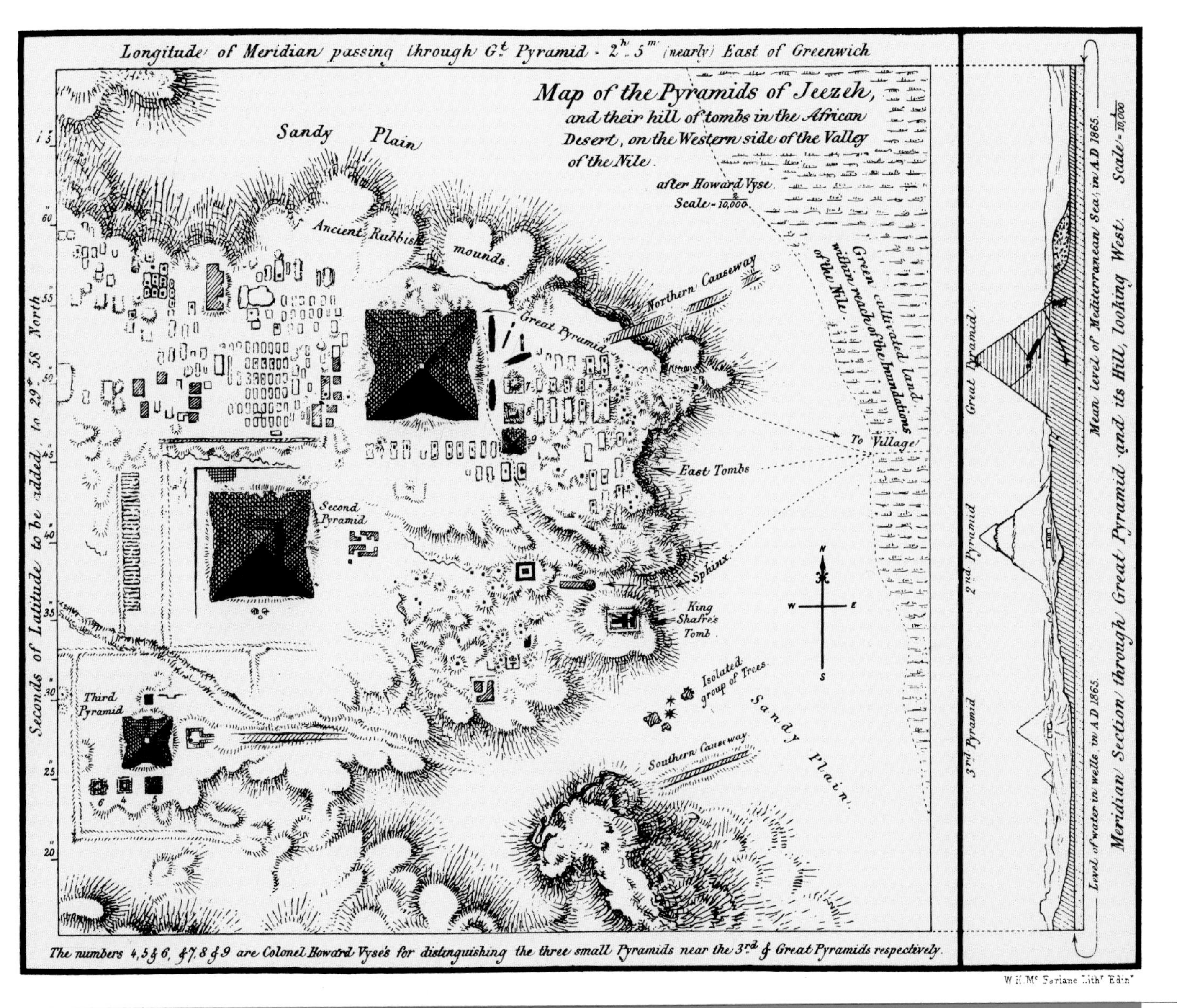


construcción de la pirámide. Según el astrónomo, el perímetro de la estructura, en pulgadas piramidales, equivalían a exactamente 1.000 veces 365,2, el número de días de un año solar. Los constructores lo habían averiguado gracias a su increíble talento para la física, escribió Smyth, 1.500 años antes «del inicio de tales cosas entre los antiguos griegos».

En su libro *Our Inheritance in the Great Pyramid,* Smyth llegó a la conclusión, igual que había hecho Taylor antes que él, de que sólo Dios pudo haber dirigido las obras de la Gran Pirámide. «La Biblia –decía– asegura que en eras pasadas Dios impartía sabiduría e instrucciones métricas para edificios a unos pocos elegidos, con algún propósito especial y desconocido.» En años posteriores, Smyth argumentó que la pirámide revelaba también la distancia desde al Tierra al Sol cuando su altura en pulgadas se multiplicaba por diez hasta la novena potencia; y diez a nueve era la proporción de alto a ancho de la pirámide. Además, la estructura no sólo demostraba la existencia de Dios, sino que también predecía la fecha de la segunda venida de Cristo.

Aunque el estilo variopinto de Smyth ayudaba a vender

sus libros, fracasó en convencer a muchos de sus colegas científicos. Los egiptólogos le denunciaron, y un miembro de la Royal Society of Edinburgh calificó sus ideas de «extrañas alucinaciones que sólo unas pocas mujeres débiles pueden creer». Un crítico de Estados Unidos expresó con humor su escepticismo asegurando que los números podían componerse para probarlo casi todo: «Si se encuentra una unidad de medida conveniente, se encontrará un equivalente exacto a la distancia hacia Timbuktu... a la cantidad de farolas en Bond Street, o a la gravedad específica del barro, o al peso medio de un pez de colores adulto.»

Con todo, el trabajo de Taylor y Smyth creó varios discípulos, quienes descubrieron que cuanto más investigaban la Gran Pirámide, más mensajes espirituales, científicos e históricos ocultos descubrían. El sacerdote norteamericano Joseph Seiss escribió en 1877 que sus piedras albergaban «un gran sistema de números interrelacionados, medidas, pesos, ángulos, temperaturas, grados, problemas geométricos y referencias cósmicas». Seiss estaba especialmente sorprendido por la constante cinco en la pirámide: tenía cinco esquinas y cinco caras (incluida la base), y una pulgada piramidal era una quinta parte de un quinto de cúbito ¿Era pura coincidencia, se preguntaba, si tenemos cinco sentidos, cinco dedos en cada miembro, y que haya cinco libros de Moisés?

Los expertos en pirámides también señalaban un hecho extraordinario: las líneas de latitud y longitud que se cruzan en la pirámide –treinta grados norte y treinta y uno este– atraviesan más tierra seca que cualesquiera otras. ¿Era posible que los antiguos egipcios lo supieran y ubicaran su enorme edificio en el mismo centro del mundo habitable? En menor escala, un cuadrante extendido en líneas rectas al noroeste y al nordeste desde la pirámide abarca todo el delta del Nilo (pág. 58). Esto debió de serles útil a los topógrafos antiguos en una tierra cuyos límites solían estar inundados.

De todas formas, fue el significado religioso lo que encendió los más acalorados debates en la Inglaterra victoriana. La contienda de los expertos de que la edificación era una inspiración divina intensificó el enfrentamiento entre los evolucionistas, recién armados por las ideas radicales de Charles Darwin sobre el origen de la vida, y los cristianos fundamentalistas que creían en la verdad literal de la Biblia. Smyth y sus seguidores, totalizando las pulgadas piramidales, veían la edificación como la prueba inalterable de una divinidad que creó el mundo en el 4004 a.C. –el año calculado por James Usher, un religioso irlandés del siglo XVIII y ampliamente aceptado por los ortodoxos. Por lo tanto, los ancestros más remotos del ser humano no eran primates habitantes de los bosques, sino maestros constructores cumpliendo el mandato de Dios. En los Estados Unidos, un grupo formó una asociación para defender un sistema de medidas basado en los sagrados cubitales de la pirámide, frente al sistema métrico ateo; el presidente James Gardfield era miembro de la organización.

No había la menor duda de que la controversia de la pirámide requería la iluminación de la ciencia pura, desprovista de ideas preconcebidas y espejismos. Y en 1880, un inglés de veintiséis años con el pomposo nombre de William Matthew Flinders Petrie salió para Egipto con un cargamento de instrumentos sofisticados y la esperanza de resolver toda especulación sobre las dimensiones y alineación del edificio.

Flinders Petrie, como era llamado, estaba cualificado tanto por linaje como por conocimientos para dicha tarea. Su abuelo materno y homónimo, el capitán Matthew Flinders, era famoso por sus expediciones a Australia. Su padre, William Petrie, era un ingeniero que había quedado tan impresionado por los escritos de Taylor y Smyth que se había convertido en un estudioso de las pirámides, dedicando veinte años de su vida al diseño y fabricación de equipos especiales de topografía que pudieran medir la Gran Pirámide con una exactitud sin precedentes. Siguiendo el ejemplo de su padre, el joven Flinders Petrie leyó el libro de Smyth a los trece años. Fascinado por la idea de discrepancias en patrones de medida, Petrie adoptó el oficio de topógrafo y se dedicó a viajar por Inglaterra y a registrar con todo esmero las dimensiones de diversos edificios y lugares megalíticos, tales como los grandes círculos de piedra de Stonehenge.

Cuando llegó a la meseta de Gizeh con abundantes provisiones y los bultos que contenían el instrumental de su padre, Petrie hizo lo mismo que otros exploradores de pirámides anteriores y se instaló provisionalmente en una tumba escalonada vacía. Luego se puso manos a la obra, midiendo una y otra vez cualquier dimensión concebible de la Gran Pirámide y de sus dos vecinas más pequeñas. Para mantener alejados a los curiosos –y para molestar a los turistas ingleses– a veces realizaba sus trabajos en el exterior vestido tan sólo con calzoncillos y camiseta, ambos de un llamativo color rosa. En el interior caluroso y polvoriento de la pirámide, solía trabajar desnudo y a últimas horas de la noche, después de que se hubieran marchado los fastidiosos turistas. El trabajo no estaba exento de riesgos, como un amigo, un tal doctor Grant, pudo comprobar cuando una noche se reunió con el topógrafo. «Pasé unos momentos espantosos cuando se desmayó en el pozo», escribió Petrie. «Sacar a un hombre corpulento, casi inconsciente, de un pozo de más de dos metros con pocos puntos de apoyo, cuando en cualquier momento su peso podía arrastrarme al fondo, supuso una experiencia difícil de olvidar.»

Petrie se quedó estupefacto ante la precisión del trabajo de cantería. Utilizando instrumentos ajustados a una décima de pulgada de exactitud, informó que los errores en el edificio tanto en el largo como en los ángulos eran tan pequeños que bastaba un dedo para taparlos. Las paredes del pasadizo de descenso estaban a un cuarto de pulgada de ser perfectamente rectos en sus 106 metros de largo. Comparó el encastado de las piedras al «mejor trabajo de un óptico en una escala de acres». Pero la calidad empezaba a deteriorarse en la antesala de la Cámara del Rey, llevando al joven topógrafo a pensar que el primitivo arquitecto no había terminado el trabajo.

El resultado de las investigaciones de Petrie, publicado en 1883 en un libro titulado *The Pyramids and Temples of Gizeh,* fue tanto gratificante como mortificante para Smyth y los estudiosos de pirámides. Había descubierto que la Cámara del Rey también incorporaba pi en la relación de su longitud y su periferia. Pero su cifra para la base de la pirámide era menor que la de Smyth, rechazando así la teoría escocesa de que la longitud de la base reflejaba el número de días de un año. Petrie también llegó a una medida cubital distinta, y no encontró ninguna prueba que apoyara la pulgada de pirámide de Smyth.

Después de haber localizado lo que llamó «el hecho feo que mató la hermosa teoría», Petrie inició una ilustre carrera como egiptólogo, que le llevó a merecer el título de Sir. Y sus datos sobre las dimensiones de la pirámide fueron considerados los mejores disponibles hasta que un estudio llevado a cabo por el gobierno egipcio en 1925 terminó para siempre con las discusiones numéricas. Las cuatro caras sólo variaban en longitud 8 pulgadas: la cara sur medía 765 pies, la cara este 755,9, la cara oeste 755,8 y la norte 755,4. Era aún más impresionante que las caras estuvieran casi perfectamente alineadas a los puntos cardinales del compás. El francés Jomard había calculado bien la altura de 481 pies, pero había omitido el ángulo de los lados, que era cincuenta y un grados y cincuenta y dos minutos.

Pero incluso después de que Petrie la desmantelara, la teoría de los estudiosos de pirámides se negó a morir, y continuaron apareciendo nuevos descubrimientos a lo largo del siglo XX. El ingeniero británico David Davidson, que empezó como un desdeñoso agnóstico y se convirtió veinte años después en un fervoroso creyente, logró conciliar los descubrimientos de Petrie con los de Smyth gracias a una serie de cálculos muy complejos que radicaban en las casi invisibles concavidades de las paredes de la pirámide –que en realidad no son totalmente lisas, sino ligeramente cóncavas. Petrie lo había tenido en cuenta, dijo Davidson, pero no había ampliado sus cálculos al revestimiento original. Cuando esto se hizo, según Davidson, resultó que Smyth tenía razón sobre su teoría de que el perímetro representaba el año solar. En 1924, Davidson, el antiguo agnóstico, terminó publicando un libro de 568 páginas donde llegaba a la conclusión de que la pirámide era «la verdad en forma de estructura».

La escuela de mediciones continuaría levantando acusaciones de manipulación de números entre la clase científica. El autor contemporáneo y gran escéptico Martin Gardner, por ejemplo, atizó el fuego al ridiculizar la obsesión por la constante 5 de Joseph Seiss, aplicando el mismo criterio al monumento a Washington en Estados Unidos. No sólo, dice Gardner, su altura es de 555 pies y 5 pulgadas, sino que su base mide 55 pies cuadrados y sus ventanas miden 500 pies desde la base. El pie del monumento tiene una base de 56,5 pies, que si se multiplica por el peso de la piedra que lo remata da un número muy parecido a la velocidad de la luz. ¿Podría ser una coincidencia?, se pregunta Gardner.

Pero las dimensiones de la pirámide no han sido el único tema de estudio. Al mismo tiempo que Petrie y Davidson contaban cubitales, otros eruditos ingleses contemplaban el cielo. A finales del siglo XIX, el astrónomo británico Richard Proctor fue el pionero de lo que luego se llamaría arqueoastronomía. Los descubrimientos de Proctor demostraron que antes de que se terminara, la Gran Pirámide pudo haber sido

# Los tesoros malditos de Tut

Pocos tesoros y ningún resto real se han encontrado en las pirámides. Pero el descubrimiento realizado por el egiptólogo Howard Carter ha servido como recordatorio y, quizás, una advertencia de lo que puede haber en dichos monumentos.

En noviembre de 1922, después de 15 años de excavaciones en el Valle de los Reyes, al sur de El Cairo, Carter y su mecenas George Edward Herbert, quinto conde de Carnavon, entraron en una tumba hundida. Allí encontraron una magnífica colección de jarrones, carros, tronos y joyas. Sabían que ése era el lugar de reposo del faraón Tutankamon, familiarmente conocido como Tut.

Pero el miedo acompañaba a su triunfo. Corría el rumor de que los jeroglíficos advertían de una venganza contra los intrusos. Una cobra –el símbolo de la realeza egipcia– había devorado a un canario que pertenecía a Carter. Para algunos, el significado de este hecho era claro: un terrible castigo caería sobre quienes violaban la tumba de Tut.

Impertérritos, los exploradores pasaron todo el año siguiente excavando antes de abrir la cámara que contenía el sarcófago de Tut. Pero Lord Carnavon no vivió para verlo. Meses antes había muerto de envenenamiento de la sangre –víctima, dijeron algunos, de la maldición del faraón.

***Mientras sus ayudantes observan, el arqueólogo Howard Carter abre una serie de puertas que conducían al sarcófago de Tutankamon.***

utilizada como observatorio astronómico, tal como mantenían los historiadores árabes y el escritor romano Proclo.

El astrónomo británico aseguraba que el perfecto alineamiento norte-sur de los pasadizos interiores, junto a su ángulo de veintiséis grados, permitían a los egipcios utilizarlos como el equivalente a un telescopio. Observando fenómenos celestiales a través de la abertura situada al final del pasadizo, los astrónomos antiguos pudieron haber trazado el mapa del cielo en su parte norte. Los que estaban situados en la Gran Galería de la Pirámide –a quienes llamó «los vigilantes de la noche»– podrían haber hecho el esquema del tránsito de las principales estrellas a través de un arco de unos ochenta grados. Cuando los pasadizos se sellaron, estos vigilantes perdieron sus lugares privilegiados.

Los egiptólogos contestaron que la ciencia egipcia no estaba tan avanzada, pero la tesis de Proctor recibió un considerable apoyo cuando el eminente astrónomo británico Sir J. Norman Lockyer publicó su libro sobre pirámides y estrellas, *The Dawn of Astronomy*, en 1894. Lockyer no era un hombre a quien se pudiera dejar de lado. Era el descubridor del helio, miembro de la Royal Society, y había sido nombrado Sir por la reina Victoria como reconocimiento a sus méritos. Lockyer visitó los edificios antiguos egipcios y descubrió que estaban orientados hacia la salida y la puesta del Sol y de ciertas estrellas en determinadas épocas del año. Más tarde, hizo descubrimientos similares en los megalitos británicos de Stonehenge. Livio Stecchini, un profesor de historia de la ciencia norteamericano y experto en medidas antiguas, afirmaría después que las observaciones astronómicas meticulosas de los egipcios les habían permitido calcular la medida de un grado de latitud y de longitud dentro de unos pocos metros, un logro que no fue igualado hasta 4.000 años después, en el siglo XVIII d.C.

La búsqueda para descifrar la pirámide continuaría hasta el siglo XX, aportando una serie incesante de teorías, especulaciones y creencias sobre el edificio. La más intrigante –y muy a menudo ridiculizada– idea que ha florecido en las últimas décadas, se centra no en la Gran Pirámide en sí, sino en su forma. Según algunas teorías, un hecho inherente en esa forma piramidal, algo no claramente comprendido, parece ejercer una fuerza que ocasiona efectos peculiares en los objetos, las plantas e incluso en las personas. Esta idea, que ha llegado a conocerse como el poder de la pirámide, se deriva en primer lugar de una serie de observaciones y experimentos registrados desde los años 20. Su primera manifestación se produjo en 1859, en el lugar del misterio, la gran montaña de piedra de Gizeh.

Werner von Siemens, el fundador de la gran empresa eléctrica alemana que lleva su nombre, se detuvo en Gizeh ese año mientras conducía a un equipo de ingenieros al Mar Rojo, donde iban a tender una línea telegráfica. Un eterno curioso y aventurero, Siemens se dispuso a escalar hasta la cima de la pirámide; mientras se arrastraba penosamente por una de las caras, el viento del desierto levantó una nube de arena a su alrededor. Al llegar a la cima, Siemens adoptó una pose de triunfo y enarboló un dedo al aire. En aquel momento una sensación de cosquilleo recorrió su dedo y oyó un chasquido. El efecto era similar a una ligera descarga eléctrica.

Siemens, que algo sabía de la recién nacida electricidad, decidió llevar a cabo una prueba. Envolviendo papel mojado alrededor de una botella de vino con cuello de metal, improvisó una botella de Leyden, un aparejo muy simple para almacenar electricidad estática. Cuando sujetó el artilugio encima de su cabeza, tuvo la satisfacción de comprobar que la botella se cargaba de electricidad, produciendo chispas al tocarla.

En sí, la experiencia eléctrica de Siemens no era especialmente notable. Bajo ciertas condiciones atmosféricas, otros habían observado efectos similares en edificios altos y terminados en punta. Pero es más difícil igualar el extraño fenómeno experimentado a principios de los años 30 por un herrero francés llamado Antoine Bovis. Según Bovis, había estado visitando la Cámara del Rey en 1920 cuando se encontró con los cadáveres de varios gatos y otros animales más pequeños que al parecer habían muerto en la pirámide. Curiosamente, los cuerpos no desprendían hedor. Al examinarlos, Bovis descubrió que los animales se habían deshidratado y momificado, pese a la humedad de la cámara.

De nuevo en Niza, el francés estaba dispuesto a descubrir el misterio. Después de construir un modelo de madera de la pirámide, la orientó al norte y colocó en su interior un gato muerto. El cuerpo se momificó en pocos días. Bovis repitió el experimento con otros animales muertos y también con carne y huevos; en todos los casos, aseguraba, la materia orgánica se secaba y se momificaba en vez de pudrirse.

*Vistos desde la puerta de un templo cercano, los rayos del Sol crepuscular en el solsticio de invierno trazan un contorno perfecto de la cabeza de la Esfinge –prueba de que la figura estaba relacionada con el culto al Sol egipcio.*

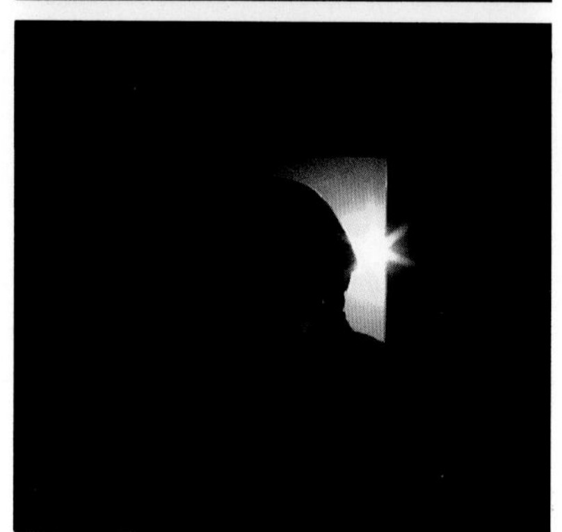

Más sorprendente aún resultó la siguiente revelación. Karl Drbal, un técnico de radio checo, después de conocer la experiencia de Bovis la repitió, utilizando una pirámide de cartón para momificar ternera y flores. Luego colocó en su interior una cuchilla de afeitar, en un punto situado a tres cuartas partes del suelo (correspondiente a la Cámara del Rey). Drbal esperaba que la cuchilla perdiera el filo. Pero, ante su asombro, la sacó más afilada que antes. Aseguraba que en experimentos posteriores la forma piramidal regeneraba las cuchillas de forma que podían ser utilizadas hasta 200 veces.

Drbal suponía que el fenómeno era producido por una energía desconocida que afectaba los cristales de las cuchillas. Otros hubieran podido decir que tales maratones con una sola hoja de afeitar ya se habían conseguido sin necesidad de intervención mística. En mayo de 1926, por ejemplo, un vienés llamado Oskar Jähnish informó a la Gillette Safety Razor Company que acababa de cumplir el quinto año de afeitado diario con una sola hoja Gillette. Pero, después de un retraso de diez años, una inicialmente reticente oficina de patentes checa hizo un registro a nombre de Drbal en 1959 por las pirámides de cartón (más tarde de plástico) y que llamó afiladores Cheops Pyramid Razor Blade.

Las fuerzas atribuidas a la forma de la pirámide continuaron multiplicándose. Según la escuela de pensamiento del poder de la pirámide, la gente podía disfrutar de la buena influencia de su energía comprando una tienda de vinilo en forma de pirámide y colocándose dentro. Sus efectos terapéuticos incluían tranquilizar a los niños, disminuir los dolores menstruales, aumentar la agudeza mental, mejorar el sueño, e incrementar el deseo sexual. Un dentista de California suspendía pequeñas pirámides de metal encima del sillón de su consultorio. El resultado, aseguraba, era menor dolor y cicatrización más rápida.

G. Patrick Flanagan de Glendale, California, un líder promotor del poder de la pirámide, afirmaba que existía una forma de energía biocósmica doblada en los objetos con forma de pirámide. La describía a grandes rasgos como «la misma esencia de la energía de la vida». Los objetos de investigación de Flanagan incluían brotes de alfalfa y a su caniche: la alfalfa crecía con mayor rapidez dentro de un modelo de pirámide y el perro, después de haber dormido en su interior durante varias semanas, se había convertido en vegetariano. Igual que Drbal, Flanagan decidió entrar en el negocio de la pirámide, confeccionando tiendas y planchas de energía, realizadas con varias pirámides diminutas fundidas, que darían energía a cualquier cosa que se depositara encima.

La idea del poder de la pirámide no dio buenos resultados a la mayoría de los científicos. Los experimentos efectuados por el Stanford Research Institute en la Gran Pirámide demostraron que los alimentos dejados en su interior se deterioraban con total normalidad. El geólogo Charles Cazeau y el antropólogo Stuart Scott llevaron a cabo experimentos propios, informando divertidos que «los huevos salieron de nuestra pirámide después de 43 días con la yema apestosa, la clara convertida en un moco y llenos de poso... los tomates en las pirámides no crecieron más que los que estaban en bolsas de papel. No conseguimos afilar hojas de afeitar.»

Las investigaciones continuaron la búsqueda de los misterios de la Gran Pirámide en sí, el qué, el cómo y el porqué de la perplejidad de los viajeros a Gizeh durante más de dos milenios. A mitad de los años 80, los egiptólogos diseñaron el primer mapa perfectamente detallado de la meseta, en un esfuerzo por saber más sobre la construcción de la pirámide. Utilizando teodolitos –instrumentos que miden ángulos– y fotografías aéreas, el arqueólogo Mark Lehner y su equipo detectaron canteras cercanas y dedujeron un sistema por el que los antiguos constructores pudieron haber creado la base tan sorprendentemente nivelada de la pirámide: las zanjas excavadas en la roca pudieron ser llenadas con agua; luego se insertaron estacas dentro del agua que marcaban el nivel de la superficie de forma natural.

Otras teorías han buscado explicar cómo los egipcios pudieron haber cortado piedra de modo tan preciso y trasladarla tan lejos. El químico francés Joseph Davidovits avanzó otro paso, asegurando en 1974 que fueron químicos y no canteros. Basando su conclusión en el análisis de muestras de piedras de la pirámide, Davidovits sostenía que los enormes bloques estaban fundidos y no cortados. Según Davidovits, se formaba en el solar una substancia parecida a la masilla a partir de los líquidos y minerales disponibles. Esta mezcla se colocaba en un molde y se encendía a fuego bajo hasta que tenía la apariencia de granito. Davidovits fabricó tales piedras en su laboratorio. Pero hasta ahora no ha convencido aún a los arqueólogos de que los egipcios hicieran lo mismo en las arenas de Gizeh.

Los piramidólogos siguen con el mismo tema, sus historias de profecías y revelaciones. El escritor Max Toth ha declarado que sólo el descubrimiento de una habitación secreta separa al hombre del siglo XXI de los «Maestros de Misterios», que aguardan en silencio para «revestirle con el ropaje de la verdad».

Otros visionarios han contemplado la pirámide como el eslabón perdido entre la historia escrita y la Atlántida. Manly P. Hall, un ferviente estudioso de las religiones antiguas, ha afirmado que los científicos mejor dotados de la altamente desarrollada civilización de la Atlántida, conscientes de que era inminente una catástrofe, fueron a Egipto y construyeron la pirámide como depósito de sus conocimientos y de sus tesoros. Ocultando su sabiduría en la pirámide, sugiere Hall, los avanzados atlantes se habían asegurado de que sólo quienes lo merecieran la descubrirían y la entenderían.

Por muy fantástica que sea la tesis de Hall, los secretos de la pirámide son escurridizos, pese a los mejores esfuerzos de los científicos tradicionales y de los modernos piramidólogos. Por mucho que queramos, no podemos pasar por alto la presencia de la Gran Pirámide; nos fascina y se burla de nosotros. William Fix, autor de *Pyramid Odyssey,* cree saber el porqué: «Es enorme; es antigua; es legendaria; es sofisticada; es el resultado de una gran empresa; está aquí para que todos podamos ver las encrucijadas de la Tierra... y no parece pertenecer a nuestro mundo.»

***Contemplado desde la Esfinge en el solsticio de verano, el Sol forma el jeroglífico para la palabra «horizonte» –un Sol poniéndose entre dos montañas entre las pirámides de Keops y Kefrén.***

# Los centinelas de piedra

El 21 de junio de cada año, la fecha del solsticio de verano, la gente acude desde todo el mundo para contemplar el sorprendente espectáculo de la salida del Sol en Stonehenge, un complejo circular de piedras verticales, o megalitos, en Salisbury Plain, al Sudoeste de Inglaterra. Cuando el disco rojo se eleva desde el horizonte, llega un momento en que, para un observador situado en el centro del círculo, el Sol parece estar suspendido justo encima de la Heel Stone, un pilar situado en la parte exterior del círculo. No sólo la visión es una delicia para los ojos, sino también un misterio insondable. Las piedras fueron colocadas miles de años atrás por constructores prehistóricos y muchas sirven para indicar en qué lugar del horizonte saldrán y se pondrán la Luna y el Sol en épocas determinadas del año. Pero ¿por qué?

El misterio se ve aumentado por el hecho de que Stonehenge es sólo uno de varios cientos de monumentos megalíticos –algunos de ellos se muestran en las páginas 67-75– situados en Gran Bretaña y en Europa. Unos están colocados en vertical y en solitario; otros en grupos de horizontales y verticales que forman puertas. Otros, como en el caso de Stonehenge, en círculos.

Los arqueólogos están de acuerdo en que estas estructuras fueron realizadas entre el 3500 y el 1000 a.C. Los astrónomos están asimismo de acuerdo en que varios servían como observatorios espaciales. Los físicos han sido testigos de experiencias sobrenaturales delante de las piedras, al igual que muchos escépticos. El antiguo folclore local ha atribuido a dichas piedras poderes místicos de acuerdo con su propio interés, ya fuera fertilizar la esterilidad, curar a los enfermos o exorcizar a los endemoniados. Las razones del porqué sólo las saben los espíritus, buenos y malos, que se cree que residen dentro y alrededor de ellas.

*El Sol sobre uno de los treinta y ocho megalitos que están situados en círculo en Castlerigg, Inglaterra. La leyenda dice que las piedras son hombres petrificados por los dioses; también sirven como marcadores astronómicos.*

*El Altar de los Druidas señala hacia el cielo desde una piedra caliza en el sudoeste de Irlanda. Megalitos como éste son puertas de dólmenes; muchos señalan entradas a tumbas.*

*Estas piedras –de un grupo de más de 1.000 en Bretaña– se suceden de forma inexplicable en once hileras durante más de medio kilómetro. Durante siglos, los*

*[illegible] esta es obra del diablo que de noche solía visitar el lugar*

*en el solsticio de verano. Las parejas solían acudir allí para hacer sus votos de matrimonio.*

*Stonehenge se yergue sobre Salisbury Plain al sudoeste de Inglaterra. Docenas de leyendas*

rodean las piedras: una dice que una raza de gigantes irlandeses las acarreó desde África

# CAPÍTULO 3

# El significado de los megalitos

Subido al techo de un automóvil en el aparcamiento de Stonehenge, el joven investigador contempló el grupo circular de enormes piedras verticales que se erigían en una extensión de unos ciento cincuenta metros. Había acudido al famoso lugar para conseguir emanaciones de la llamada energía terrenal, una fuerza mística venerada por muchas personas que miran más allá de la ciencia tradicional en busca de soluciones para los misterios que rodean el enorme monumento de piedra.

El visitante llevaba consigo una antena de alambre doblada en forma de *ankh* (llave de la vida), una antigua cruz egipcia con un recodo en la parte superior. Sujetando la antena por el recodo, apuntó con el otro extremo hacia las gigantescas piedras. El resultado, informó después, fue sobrecogedor y doloroso: una sacudida de electricidad recorrió su brazo, haciéndole caer al suelo y dejándole inconsciente. Cuando volvió en sí, vio que tenía el brazo paralizado. Le costó seis meses volver a recuperar su pleno uso. Pero la experiencia había demostrado algo para su satisfacción: la energía terrenal que había ido a buscar a Stonehenge era real, y no había que tomarla a la ligera.

Serena en su esplendor solitario sobre la pradera de creta de la llanura de Salisbury a unos ciento cincuenta kilómetros al oeste de Londres, Stonehenge ha intrigado tanto a los investigadores como al portador de la antena en forma de *ankh* a lo largo de siglos. Sin embargo, pese a todas las investigaciones y especulaciones, sigue siendo un enigma. Ni siquiera se sabe aún quiénes fueron sus constructores: los esfuerzos para demostrar que fueron egipcios, fenicios, griegos, romanos, druidas, daneses, budistas hindúes, mayas, supervivientes de la Atlántida, el continente perdido, o incluso visitantes de otro planeta, han fracasado.

Se calcula que al menos la mitad de las piedras originales del solar han desaparecido, sin nada aparte de muescas en el suelo que indique que alguna vez estuvieron allí. Muchas otras yacen amontonadas y rotas. Pero, tal y como observó un escritor hace 200 años, «queda tanto sin demoler como para permitirnos recuperar su forma de cuando estaba en su perfecto estado. Hay lo bastante de cada parte como para preservar la idea del conjunto».

El conjunto es un monumento consistente en dos anillos concéntricos de piedras verticales que incluyen un par de ellas en forma de herradura. Completando el conjunto hay varias piedras solitarias, entre ellas las llamadas Piedra del Altar, Piedra del Sacrificio y Piedra Ladeada; numerosos hoyos; una acequia circular muy profunda y una amplia calzada que parte la acequia en el borde nordeste y comunica Stonehenge con el río Avon, a una distancia de dos kilómetros.

El rasgo que proporciona a Stonehenge su silueta distintiva es un grupo de piedras altas denominadas puertas, que forman el círculo interior y la herradura interior. El círculo, de unos treinta metros de diámetro y cinco de altura, una vez había consistido en treinta montantes coronados por treinta dinteles formando un anillo continuo de piedra en la parte superior. Más altas incluso que las puertas del círculo exterior son las cinco puertas que habían constituido la herradura exterior. Se las llama trilitos (la palabra griega para tres piedras) y se elevan hasta casi nueve metros. Para levantar esas enormes puertas, los constructores tuvieron que izar de alguna forma las gigantescas losas –con un peso aproximado de 12 toneladas cada una– sobre los pares de verticales y luego depositarlas encima con la precisión necesaria para que las muescas de la superficie inferior encajaran con la parte superior de los pilares. Es de estos enormes dinteles de donde procede el nombre Stonehenge, convertido en Stanhengues, Stanenges, Stanheng y Stanhenges, palabras del inglés arcaico para «piedra colgada».

Si los constructores de las piedras colgadas no han sido identificados, tampoco se sabe el propósito exacto del lugar –aunque se cree que el complejo casi con toda certeza se utilizó como templo, uno de tantos monumentos antiguos de piedra, o megalitos. Con mucha diferencia, la mayor concentración de megalitos –alrededor de 50.000 en total– se encuentra en Europa y el norte de África, especialmente en Gran Bretaña, Irlanda, España, Portugal, Francia, Escandinavia y Argelia.

Estos monumentos muestran una extensa variedad de formas. Los más sencillos constan de una única piedra vertical y se las llama *menhires,* la palabra celta para «piedras largas». Algo más complicados son los grupos de menhires, a veces dispuestos en círculo o en semicírculo, y algunas veces en filas de varios kilómetros. Una tercera clase de monumento megalítico es el dolmen, una estructura en forma de habitación con techo que puede ser independiente y al nivel del suelo o encerrado dentro de un túmulo de tierra.

Stonehenge se encuentra dentro de la segunda categoría de monumentos megalíticos. Pero no es en absoluto ni el más grande ni el más ambicioso de los monumentos de piedra o de tierra británicos. El prehistórico Silbury Hill en la cercana Avebury, para mencionar sólo un ejemplo, es un túmulo artificial de 39 metros de altura que se extiende hasta cinco acres y medio. Y sin embargo, entre todos ellos, ninguno es tan famoso, ni tan estudiado, ni tan objeto de vuelos de imaginación y especulación científica como Stonehenge. Permanece, tal y como escribió Henry James, «tan solitario en la historia como en la gran llanura».

Stonehenge está construido principalmente con una variedad de basalto de color azul y pedernal. El basalto, del que había ochenta o más bloques en un principio, se ha localizado en una cantera a unos 200 kilómetros al noroeste de la llanura de Salisbury; el pedernal se trasladó desde las colinas de Marlborough, a treinta y cinco kilómetros del lugar. Como los vehículos con ruedas eran desconocidos en Bretaña durante la época de la construcción de Stonehenge, el transporte de larga distancia que requería esas enormes piedras –algunas de ellas con un peso de 50 toneladas– es una de las hazañas más sorprendentes realizadas por los constructores de Stonehenge y una de las que ha levantado mayores conjeturas.

No existe una cronología exacta de la construcción, debido a la escasez de datos del lugar y el margen de error intrínseco en las técnicas de fijación de fechas arqueológicas. La mejor aproximación científica es que Stonehenge se construyó en al menos cuatro fases, a lo largo de siglos entre el 3100 y el 1100 a.C. Nadie, aparte de una serie de pueblos de la antigüedad, contribuyó a la edificación del monumento, tal y como demuestra la variedad de elección en los materiales y sistemas de construcción y también los aspectos discrepantes de Stonehenge. Los arqueólogos creen que en la primera fase de la construcción, el monumento consistía en un simple terraplén circular que rodeaba unos pocos tablones verticales de madera, incluida la Piedra Ladeada. La segunda fase estuvo marcada por el levantamiento de dos hileras de piedras de basalto formando una media luna en el centro del solar. Las puertas y trilitos se crearon en la tercera fase, y en la cuarta, alrededor del 1100 a.C., se colocaron las piedras de basalto y se alargó la calzada.

Algún tiempo después, Stonehenge parece haber entrado en declive, su suelo sagrado se fue descuidando hasta pasar desapercibido. Luego, alrededor del 1130 d.C., el clérigo inglés Henry de Huntington lo rescató del olvido, explicando a sus feligreses que era un lugar enigmático. En su *History of the English,* Henry escribió que «Stanenges, donde piedras de extraordinario tamaño habían sido erigidas en forma de puertas... y nadie puede concebir cómo habían podido levantarse ni por qué se habían construido allí».

Los comentarios de Henry desataron toda clase de especulaciones, empezando por las de su contemporáneo Geoffrey de Monmouth. En su *History of the Kings of Britain*, escrita allá por el 1136, Geoffrey daba su versión de cómo Stonehenge había llegado a convertirse en lo que era. Según su relato, *Chorea Gigantum*, o Danza de los Gigantes, tal y como Geoffrey llamaba a la enorme estructura de piedra, se levantó en el llano de Salisbury en el siglo v d.C., en tiempos de Aurelio Ambrosio y de su hermano Uther Pendragon, padre del legendario Rey Arturo.

Geoffrey iniciaba su crónica con una guerra entre los britanos, mandados por Ambrosio, y los sajones bajo el mando de Hengist, un enemigo muy odiado que había masacrado a 460 nobles britanos desarmados reunidos para un parlamento de paz. Después de derrotar al ejército de Hengist en una batalla y decapitarle por sus crímenes, escribía Geoffrey, Ambrosio visitó un monasterio cerca de Salisbury donde estaban enterradas las víctimas de Hengist. Conmovido hasta las lágrimas por el destino de sus leales condes y príncipes, Ambrosio decidió erigir un monumento digno de la memoria de tales guerreros.

No pudiendo encontrar carpinteros o albañiles capaces de construir un monumento tan impresionante como quería, Ambrosio mandó llamar a Merlín, un sabio renombrado por sus poderes proféticos y conocimientos místicos. Merlín le aconsejó que si quería señalar las tumbas de sus paladines con un monumento eterno, tendría que trasladar la Danza de los Gigantes, un grupo de enormes piedras que bende-cían una montaña de Irlanda. «Ya que en esas piedras, –le explicó Merlín– hay un misterio y una virtud sanadora de diversos males.» Según Merlín, una raza extinguida de gigantes irlandeses había acarreado las piedras mágicas desde la lejana África. El agua derramada sobre ellas adquiría propiedades curativas, y los gigantes trataban sus armas de guerra con infusiones de hierbas obtenidas con las aguas mágicas.

Ambrosio, ansioso por hacer lo que Merlín le había aconsejado, puso a Uther al frente de un ejército de 15.000 britanos y les envió a Irlanda en busca de las piedras milagrosas. Cuando Uther y sus hombres llegaron a su destino, atacaron a las piedras con toda clase de artilugios, pero sin éxito. Finalmente, Merlín, que había acompañado a la expedición, utilizó sus poderes mágicos para moverlas. En palabras de Geoffrey de Monmouth, Merlín «empleó sus propias máquinas», con las que fácilmente trasladó las piedras a los barcos que las transportaron a Inglaterra.

# Un complejo multiuso

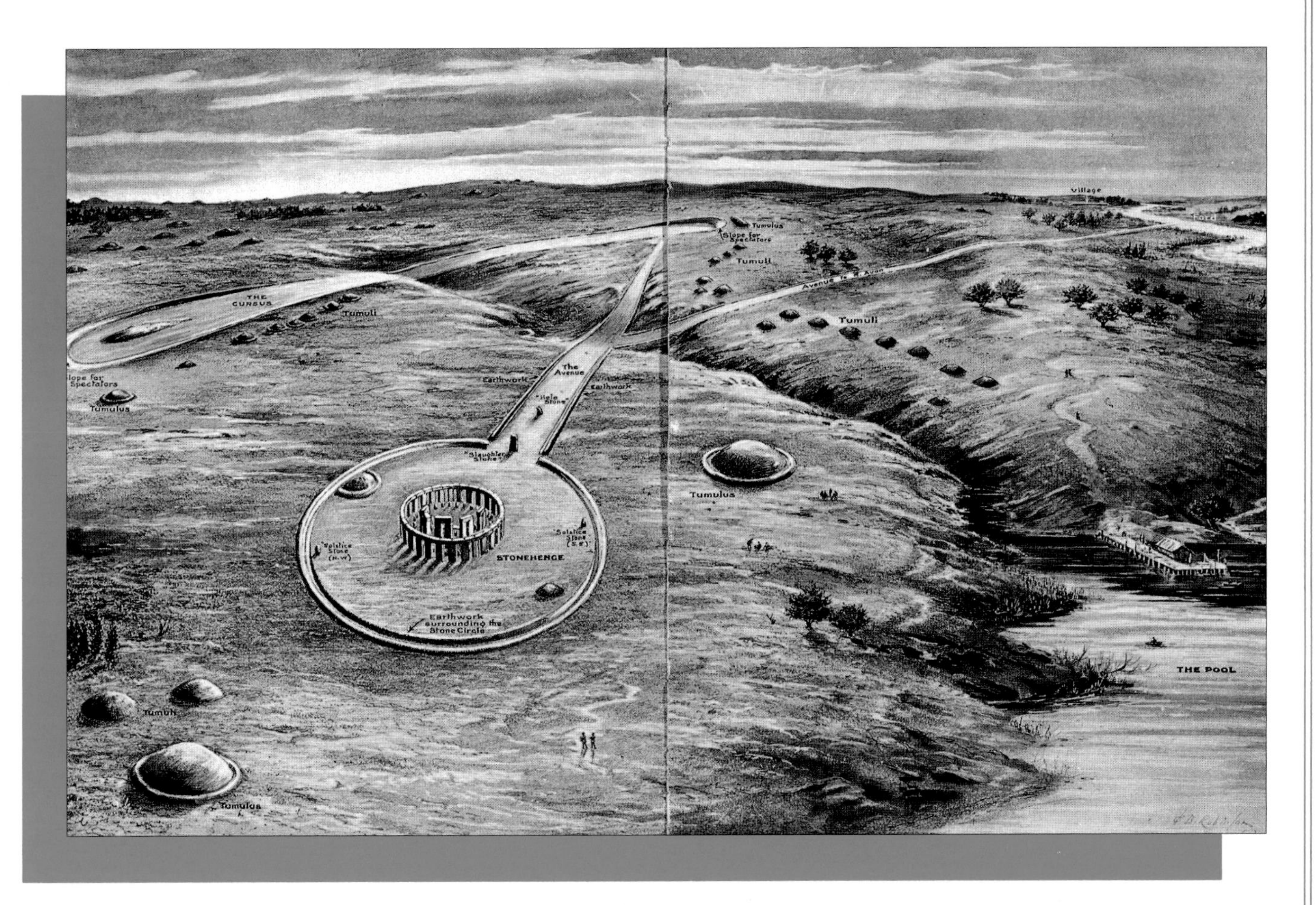


De todas las teorías descartadas presentadas para explicar el origen de Stonehenge, una de las más fantásticas apareció en un artículo firmado por un tal J.G. Gurdon en el *London Illustrated News* del 13 de mayo de 1922. Gurdon comparaba el lugar con una mezcla de emporio e hipódromo: pensaba que había servido tanto como mercado como pista de carreras... ambos en suelo sagrado.

Sostenía que en las primeras expediciones a Stonehenge, los constructores del anillo interior edificaron el lugar como templo. Los siguientes constructores del anillo exterior eran comerciantes que encontraron en el templo su sitio idóneo para hacer negocios. «Los hombres preshistóricos –escribió– ampliaron a su templo ese respeto que ahora se concede a los palacios de justicia. Deseaban evitar conflictos con los sacerdotes igual que el comerciante moderno desea mantenerse alejado de los abogados.» Así que se vieron obligados a pactar sin llegar a las manos.

Al primer golpe de vista, la explicación de Gurdon sobre Stonehenge parece tan sensata como cualquier otra. Pero existía sólo en su imaginación y había omitido algunos hechos importantes. Aunque se encontraron objetos de oro y de bronce en los túmulos cercanos que indicaban que se habían realizado operaciones comerciales, los objetos son de 200 años después de finalizada la construcción de Stonehenge. Por lo tanto el lugar debió de tener anteriormente otro propósito que el comercio.

El resto de esta teoría, de que Stonehenge hubiera sido un centro deportivo, se apoyaba en un razonamiento incluso más fantasioso. Un terraplén vecino consiste en una pista amplia y recta con una curva en un extremo y llamada *cursus* –la palabra latina para «pista». Gurdon decidió que no podía ser otra cosa que un circuito de carreras para cuadrigas; la curva permitía que las cuadrigas pudieran dar la vuelta para volver a entrar en la pista. «El deporte, igual que el comercio –escribió– estaba íntimamente ligado con la religión y las fiestas religiosas en todos los pueblos primitivos.» Cierto, pero las cuadrigas no aparecieron en Bretaña hasta el año 400 a.C. –así que la teoría de Gurdon sigue el mismo camino de otras muchas y se va derecha al limbo arqueológico.

Después de muchas celebraciones y ceremonias en la llanura de Salisbury, escribió Geoffrey, Ambrosio le pidió a Merlín que instalara las piedras traídas desde Irlanda. Merlín así lo hizo, utilizando los mismos poderes mágicos para colocar las piedras de forma circular sobre el cementerio, tal y como los gigantes extinguidos las habían dispuesto mucho tiempo antes en Irlanda. Con el tiempo, proseguía el relato de Geoffrey, el círculo de piedras mágicas erigido por las artes de Merlín se convertiría en la tumba de Aurelio y de Uther.

Cronistas posteriores repetían la historia de Geoffrey con algunas variaciones, y Merlín se convirtió en una figura inalterable en el folclore de Stonehenge. En algunas historias, la magia del brujo conseguía que las piedras volaran por los aires desde Irlanda a Bretaña. En los tiempos isabelinos, casi 500 años después de la publicación de la *History of the Kings of Britain*, de Geoffrey, Merlín y la Danza de los Gigantes se convirtieron en temas populares para muchos de los autores teatrales londinenses. En un melodrama de la época, Merlín derrota a su padre, el diablo, y erige Stonehenge en honor de su madre mortal.

No es hasta el reinado de Jacobo I, a principios del siglo XVII, cuando la leyenda medieval abre paso a investigaciones serias sobre Stonehenge. Jacobo visitó las piedras en el verano de 1620 y se quedó tan intrigado que ordenó un estudio arquitectónico para satisfacer su real curiosidad por el origen y el propósito de la misteriosa construcción. Para llevar a cabo este estudio de Stonehenge, el monarca escogió a Inigo Jones, el principal arquitecto de la época.

Jones había estudiado pintura y arquitectura en Italia y conocía al dedillo los principios clásicos del dibujo. Obedeciendo el encargo real, visitó el monumento, inspeccionó el solar y tomó medidas de las piedras. De nuevo en Londres, buscó en su biblioteca de escritos sobre arquitectura para identificar a los constructores de Stonehenge. Jones descartó de antemano la historia de Geoffrey de Monmouth: «En cuanto a esa ridícula fábula de Merlín transportando las piedras desde Irlanda por arte de magia, es una pretensión infundada», escribió. Revisó y rechazó otras muchas ideas sobre el origen de Stonehenge, incluida la posibilidad de que los antiguos britanos hubieran echado una mano.

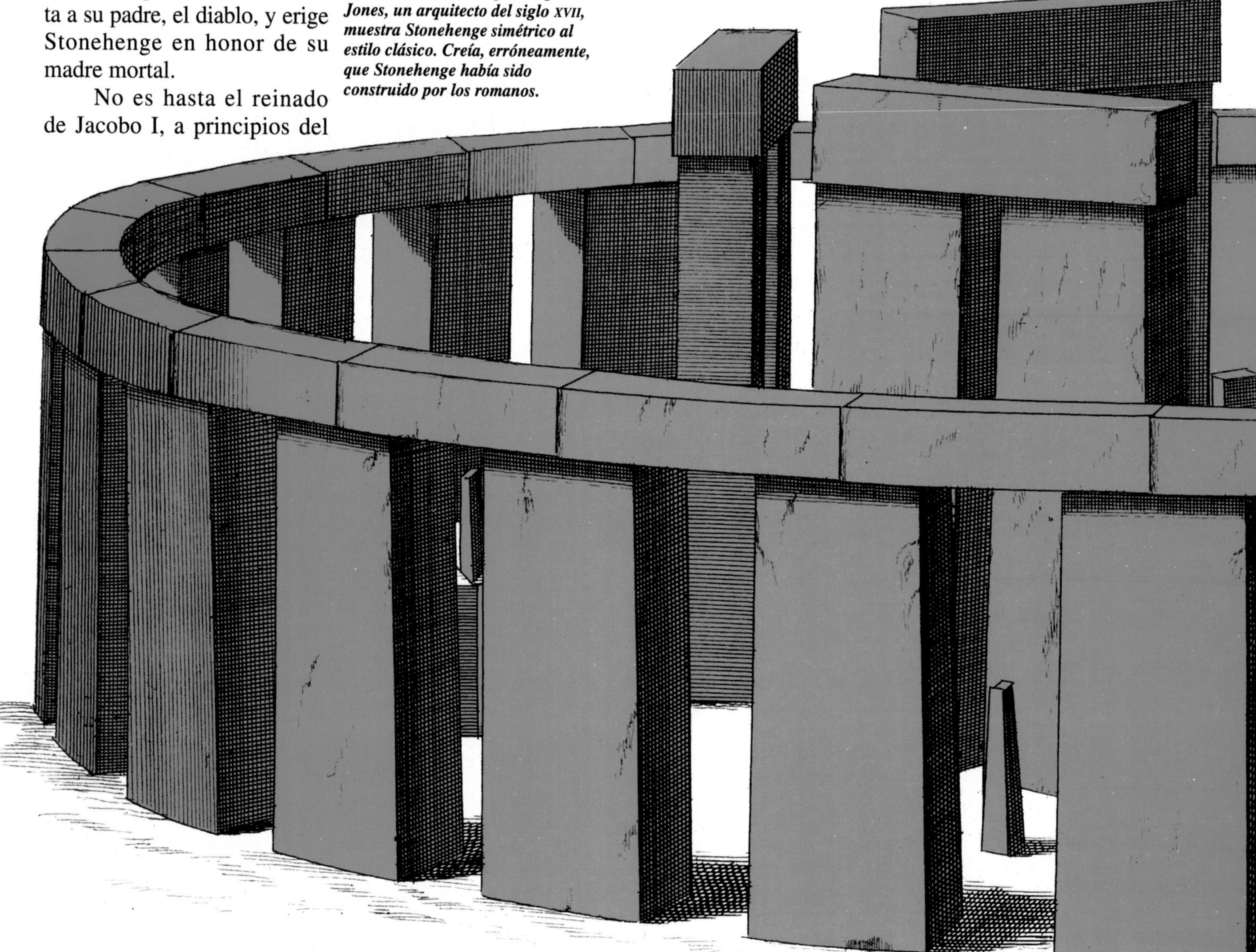

***Este dibujo realizado por Inigo Jones, un arquitecto del siglo XVII, muestra Stonehenge simétrico al estilo clásico. Creía, erróneamente, que Stonehenge había sido construido por los romanos.***

Bretaña antes de la invasión romana, afirmaba Jones, estaba poblada por «gente salvaje y bárbara, que desconocían el uso de la ropa... desprovistos de conocimientos... para construir monumentos de tal magnitud». Igual que el filósofo Thomas Hobbes, suponía que la vida para los seres humanos prehistóricos de las Islas había sido «solitaria, pobre, difícil, asilvestrada y corta» –o, en palabras de otro escritor del siglo XVII, «casi tan salvaje como los animales con cuyas pieles se cubrían... 2 o 3 grados supongo menos salvajes que los americanos».

Tales bárbaros, creía Jones, no podían poseer la sofisticación estética y matemática para construir cualquier cosa con «tanto arte, orden y proporción» como el que poseía Stonehenge. Llegó a esta conclusión: las piedras de la llanura de Salisbury eran restos de una templo a Celus, dios del cielo romano, construido durante el período de la invasión romana de Bretaña, que empezó al principio de la era cristiana y terminó en el 410. «Entre todos los países del universo –declaró– sólo los romanos pudieron haber creado tal maravilla.»

Después de la muerte de Jones en 1652, su discípulo y yerno John Webb editó los escritos del arquitecto sobre su teoría del origen romano en un volumen titulado *The Most Notable Antiquity of Great Britain, Vulgarly Called Stone-Heng, on Salisbury Plain, Restored.* Este libro, el primero dedicado exclusivamente a Stonehenge, resultó un fracaso de crítica y público. La mayoría de ejemplares se quedaron sin vender y el gran incendio de Londres de 1666 los destruyó, pero había provocado disidentes que presentaron sus propios argumentos.

Un ávido lector del libro de Jones fue Walter Charleton, un médico de la corte de Carlos II. En el intercambio epistolar con un anticuario danés, Charleton se había llegado a convencer de que Stonehenge repetía el diseño de unas tumbas megalíticas descubiertas en Dinamarca. En un tratado en 1663 titulado *Chorea Gigantum, or the Most Famous Antiquity of Great Britain, Vulgarly Called STONE-HENG, Standing on Salisbury Plain, Restored to the DANES,* Charleton quiso arrebatar el mérito a los romanos en la construcción del monumento y atribuirlo a los conquistadores daneses que habían invadido Inglaterra en tiempos que los vikingos.

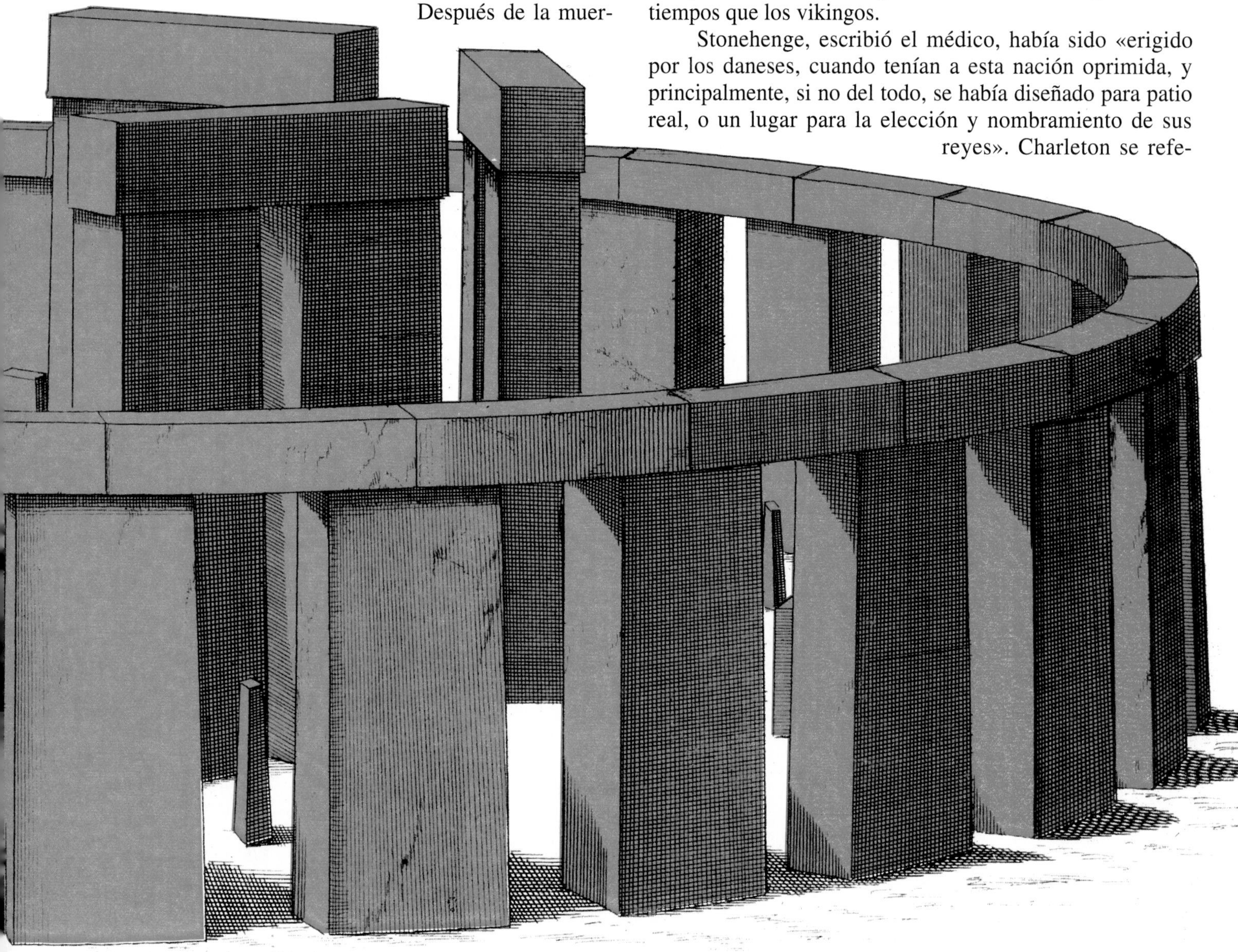

Stonehenge, escribió el médico, había sido «erigido por los daneses, cuando tenían a esta nación oprimida, y principalmente, si no del todo, se había diseñado para patio real, o un lugar para la elección y nombramiento de sus reyes». Charleton se refería a la disposición circular de Stonehenge como prueba de que estaba relacionada con los rituales de coronación y sugería que los dinteles proporcionaban lugares de reunión cubiertos para los electores daneses. Incluso aventuraba la idea de que Alfredo el Grande hubiera conseguido derrotar a los daneses en el 878 debido a que los invasores habían acudido a la batalla debilitados por los abusos en la celebración convocada para señalar el fin de las obras de Stonehenge.

Inaugurando lo que se convertiría en una larga tradición de las algunas veces amargas relaciones entre los teóricos de Stonehenge, Charleton acusó al difunto Inigo Jones de haberse dejado seducir por su imaginación y seguir «una trayectoria muy poco sincera... escandalosa... [merecedora] de vergüenza y descrédito». Webb contestó poco después con otra publicación, en la que atacaba a Charleton y le consideraba «superficial, frívolo, engreído» y a los daneses de Charleton «practicantes de la nigromancia, brujería, perjurio, traición, crueldad y tiranía: sus ocupaciones eran el adulterio, la violación, el robo, el saqueo, la piratería y el sacrilegio; y sus diversiones el asesinato, el infanticidio, el fratricidio, el parricidio y el regicidio».

Estos intercambios tan fogosos mantuvieron ocupada a la comunidad de anticuarios durante un tiempo. Pero pronto iba a surgir otro punto de vista más controvertido y duradero, dejando a un lado todas las anteriores confrontaciones. Stonehenge, proponían los nuevos teóricos, era un templo construido por los druidas.

Los druidas eran nativos ingleses, o casi. Constituían un cuerpo clerical de elite de los celtas que se habían desplazado al oeste desde el continente para poblar Britania en tiempos tan remotos como el 2000 a.C. Lo poco que se sabe de ellos –o de los celtas en general– procede principalmente de los escritos de sus contemporáneos griegos y romanos; los mismos sacerdotes parecían utilizar muy poco el lenguaje escrito, tal vez temiendo que ello hubiera permitido que sus conocimientos especiales cayeran en malas manos.

Lo que hizo tan controvertida la relación de los druidas con Stonehenge eran sus supuestos ritos religiosos sangrientos. ¿Cómo podían hombres de prácticas tan repugnantes haber construido una obra tan sublime? Muchos de los cronistas clásicos presentan a los druidas como a una hermandad siniestra, dedicada –tal y como escribió el historiador romano Publio Cornelio Tácito– a «supersticiones inhumanas y ritos bárbaros». Julio César, que escribió mucho sobre los druidas en su *Guerra de las Galias,* aseguraba que ofrecían sacrificios humanos a su dioses construyendo inmensas jaulas de mimbre con forma humana «cuyos miembros tejidos con ramas, llenaban con hombres vivos y les prendían fuego, por lo que los hombre perecían envueltos en llamas».

*Piedras verticales de formas alternativas –rombos y pilares– se yerguen solemnes en el gran círculo de Avebury. Los científicos piensan que son símbolos masculinos y femeninos y que Avebury era un lugar de ritos de fertilidad.*

***Cuatro dibujos de William Stukeley, erudito del siglo XVIII, representando a los druidas celebrando sus fiestas de las cuatro estaciones. Stukeley creía que los druidas habían erigido los megalitos británicos, y su teoría fue generalmente aceptada hasta el siglo XX.***

Diodoro Sículo, un contemporáneo de César, reflejaba un punto de vista parecido. Escribió sobre los ritos druidas que «los sacerdotes mataban a un hombre de una cuchillada en la región situada encima del diafragma, y durante su agonía preveían el futuro por las convulsiones de sus miembros y el derramamiento de sangre». Y Tácito informó más adelante de que cuando los britanos salían victoriosos de la batalla, «este pueblo inhumano estaba acostumbrado a derramar la sangre de sus prisioneros sobre los altares, y consultar a los dioses sobre los intestinos aún calientes de los hombres».

Inigo Jones, mientras catalogaba a los pueblos que no po-dían haber construido Stonehenge, también hacía una referencia a los sacerdotes celtas: «Con respecto a los druidas, por supuesto que Stonehenge no pudo haber sido construido por ellos, a tal respecto, no he encontrado ninguna mención de que fueran nunca expertos en arquitectura... o con talento para cualquier cosa que llevara a alguna parte.» Jones aceptaba que los druidas pudieran haber sido filósofos y astrónomos, como había indicado Julio César, pero ésas eran ramas del saber «que consisten más en la contemplación que en la práctica», no la clase de estudios que Jones consideraba «adecuados para formar el criterio de un arquitecto... en una palabra, y con esto basta, Stonehenge no fue obra de los druidas».

Por muy enérgicos que fueran, tales argumentos no disuadieron a John Aubrey. Era miembro de la Royal Society y autor de escritos que abarcaban campos tan diversos como biografías, costumbre populares y estudios de antigüedades. Había nacido en 1626 en Easton Pierse, un pueblo situado a cincuenta kilómetros de Stonehenge, y se tomó mucho interés en la multitud de antiguos monumentos de piedra esparcidos por la campiña británica. Sus estudios sobre Stonehenge identificaban un anillo exterior justo dentro de la zanja. El anillo consistía de cavidades pequeñas, apenas visibles, excavadas por el hombre, que anteriormente habían pasado desapercibidas. Conocidas desde entonces como los «Hoyos de Aubrey», estos agujeros miden 1,82 metros de diámetro y 1,20 de profundidad, con el fondo plano. Estaban llenos de huesos calcinados que Aubrey pensó que eran humanos.

Motivado por el interés, Aubrey examinó el análisis de Jones en *Stone-Heng Restored* y llegó a la conclusión de que el arquitecto había ocultado datos para encajar «el monumento en su hipótesis, lo cual es muy distinto de la cosa de sí». Aubrey no tenía mejor opinión de la teoría de su amigo Charleton, ni de cualquier otra atribución que convirtiera a los invasores extranjeros en constructores de Stonehenge. Los monumentos antiguos en piedra británicos, escribió en un libro titulado *Monumenta Britannica*, estaban tan ampliamente distribuidos en zonas apenas roza-

das por las sucesivas oleadas de invasores que sólo pudieron haber sido construidos por los nativos britanos. Admitiendo que estuviera «andando a tientas en la oscuridad» para llegar a esta conclusión, Aubrey dijo que Stonehenge y otros monumentos megalíticos mostraban «claras evidencias de que fueron templos paganos» y una «probabilidad de que fueran templos de los druidas».

La prudente tesis de Aubrey quedó inédita hasta su muerte en 1697. Pero veinte años después, el manuscrito de *Monumenta Britannica* llamó la atención de William Stukeley, médico, estudioso de la antigüedad y cristiano ortodoxo.

Stukeley se había entusiasmado por primera vez con los megalitos cuando había visitado varios monumentos de piedra antiguos, pero no Stonehenge en 1710. Un emplazamiento, indicó con cautela, pudo haber sido «un templo terrenal de nuestros ancentros, quizás en el tiempo de los druidas». Cuando llegó a ver el más famoso megalito británico, nueve años después, ya estaba fascinado por los druidas y con la tradición de Stonehenge. Incluso había construido un par de réplicas exactas, que mostraban la estructura tanto en su «aspecto ruinoso actual» como en «su estado prístino».

Después de haber puesto los ojos en Stonehenge, Stukeley ya no pudo olvidarlo. «Te atrapa como un hechizo», escribió. Continuaba hechizado a principios de 1720 ya que había visitado el lugar varias veces. En una ocasión él y un amigo llevaron consigo una escalera, se subieron a una de las puertas y caminaron por el dintel, contemplando desde arriba el resto de Stonehenge. Luego se acomodaron y después de fumar una pipa, las dejaron allí como recuerdo de su excursión.

No todas las visitas de Stukeley a antiguos monumentos fueron simplemente viajes de placer. También recopilaba datos para un libro sobre Stonehenge que pensaba escribir. Tomó medidas exactas de las piedras y de su entorno, exploró terraplenes vecinos, e hizo algunas excavaciones... con mucho cuidado de no cavar demasiado cerca de las piedras, no fuera a ser que accidentalmente provocara su caída.

Incluso antes de que Stukeley empezara su investigación sobre Stonehenge, él y un grupo de amigos habían fundado un club social que llamaron la Sociedad de los Caballeros Romanos. Sus miembros se dedicaban a proteger la herencia arqueológica romana del «tiempo, de los dioses, y de los bárbaros», y cada uno de los caballeros adoptó un nombre del pasado celta o romano. Después de buscar un nombre adecuado, Stukeley se decidió por el de un sumo sacerdote druida francés llamado Chyndonax. Escoger ese nombre fue el primer paso hacia la adopción de la identidad druida que finalmente se apoderaría de él. Cuando en 1740 consiguió publicar su libro sobre Stonehenge, Stukeley había abandonado su carrera de médico para convertirse en pastor de la Iglesia Anglicana, y su interés secular por los megalitos británicos había sido reemplazado por un sentimiento de misión sagrada. Su libro, titulado *Stonehenge, a Temple Restored to the British Druids,* in-

tentaba encajar la versión del druidismo del autor con «una historia cronológica del origen y el desarrollo de la religión verdadera y de la idolatría». Según la teoría de Stukeley, existía una tradición religiosa ininterrumpida que enlazaba a los patriarcas del Antiguo Testamento con los druidas y la Iglesia Anglicana. Los druidas, declaraba en su libro, eran ancestros espirituales de quienes los anglicanos modernos podían estar orgullosos. Eran sabios místicos y filósofos por naturaleza que se «habían adelantado a sus preguntas... hasta una altura que haría sonrojar a nuestros más modernos pensadores, dejándoles en mantillas en cuanto a conocimientos y religiosidad».

Es cierto que estos sabios antiguos habían ofrecido sacrificios humanos, pero Stukeley consiguió justificar el vergonzoso exceso como «una extraordinaria demostración de superstición», quizás atribuible a la mala interpretación del relato del Antiguo Testamento donde el Señor ordena a Abraham el sacrificio de Isaac. Stonehenge, en la reconstrucción del pasado histórico británico de Stukeley, era nada menos que «la iglesia del Gran Druida de Bretaña metropolitana... el *locus consacratus* donde se reunían en las grandes festividades del año, así como para llevar a cabo los sacrificios y las ceremonias religiosas».

*Botones de oro, cuentas y otras joyas encontradas en un túmulo por Sir Richard Colt Hoare que parecen micénicos, lo cual llevó a Sir Richard a creer que Stonehenge había sido erigido por los griegos.*

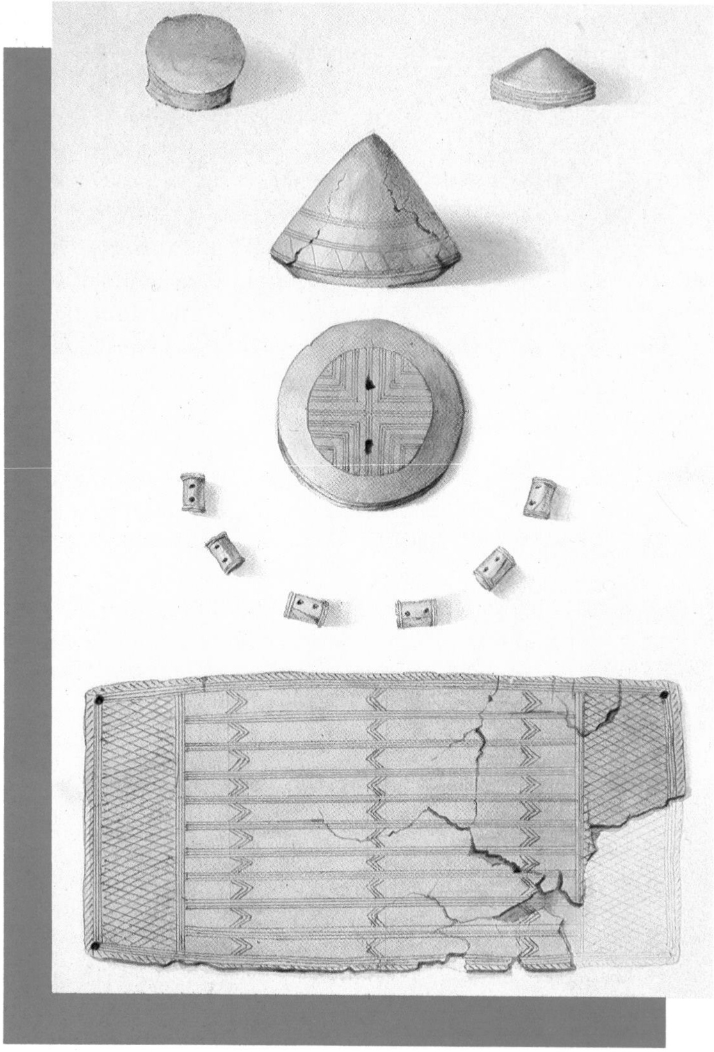

Después de terminar *Stonehenge Restored to the Druids,* Stukeley continuó desarrollando sus teorías de la religión antigua, estudiando otros megalitos y planeando un tratado de varios volúmenes sobre lo que llamaba la cristiandad patriarcal practicada por los druidas tal y como él los imaginaba. Sólo escribió otro volumen sobre el tema, un estudio de los megalitos de la vecina Avebury, donde afirmaba que su gran anillo de piedras era sólo una parte de una gigantesca escultura de tierra y piedras construida por los druidas a lo largo de kilómetros campo a través. Relacionando los megalitos en un mapa de la forma en que se relacionarían las estrellas para formar constelaciones, Stukeley descubrió la forma sinuosa de una serpiente atravesando un círculo. A esta imagen le atribuyó un simbolismo profundamente religioso, llamando a la serpiente de megalitos «un noble monumento al fervor de nuestros antepasados».

Aparte de sus especulaciones druidas, una de las perdurables contribuciones de Stukeley al estudio de Stonehenge era su descubrimiento de que el eje de la compleja estructura, tal y como estaba definida por la orientación física de varias características clave, indicaba directamente «al nordeste, por donde sale el Sol cuando los días son más largos». Observadores posteriores han constatado que el megalito llamado la Piedra Ladeada, que está situado justo en el exterior de la entrada del círculo, se alinea con el centro de Stonehenge para indicar el punto exacto del horizonte por donde sale el Sol en el día del solsticio de verano. Pero Stukeley fue el primero en sugerir que los britanos prehistóricos construyeron sus megalitos teniendo presente alineaciones astronómicas exactas.

Al igual que la historia de Merlín de Geofrey de Monmouth, el neodruidismo de Stukeley fue absorbido por la mitología de Stonehenge y repetido con adornos por otros muchos entusiastas de los megalitos. El arquitecto John Wood, renombrado diseñador de la reconstrucción de Bath en el siglo XVIII, estudió Stonehenge con detenimiento, declarándolo «el gran santuario de la ARCHIPROFECÍA de Bretaña». Wood llegó a la conclusión de que el número y disposición de las piedras se correspondían con los ciclos lunares y que el círculo no era otra cosa que el templo de la diosa lunar Diana. A Wood le sucedió otro druidófilo llamado Henry Hurle, que llevó el movimiento evangelista hasta su extremo lógico, fundando en 1781 lo que llamó la Antigua Orden de los Druidas. Ésta sería sólo la primera de muchas sectas neodruidas que escogerían Stonehenge como lugar de ceremonias de iniciación y de otras prácticas religiosas.

El final del siglo XVIII no puso punto final a la fascinación por Stonehenge y otras construcciones de la antigüedad de la zona. Aunque varios investigadores del siglo XIX tenían intereses algo distintos a los de sus predecesores. El próspero baronet Sir Richard Colt Hoare, por ejemplo, se dedicó a supervisar y financiar la excavación de cientos de túmulos, muchos de ellos en las inmediaciones de Stonehenge. Algunos de los artefactos enterrados en estas viejas tumbas convencieron a Colt Hoare y a sus colegas de que los túmulos, así como Stonehenge, se habían construido antes de la invasión de Britania por los romanos. Incluso Charles Darwin, el gran teórico de la evolución biológica, viajó a Stonehenge cuando era ya anciano. Su objetivo era aprender algo sobre la actividad de las lombrices calibrando cuánto se habían aposentado en el suelo las piedras caídas del monumento. En 1881, el año de su muerte, Darwin publicó sus descubrimientos en un curioso libro titulado *The Formation of Vegetable Mould, through the Action of Worms.*

Mientras los estudiosos de megalitos se irritaban por las destructivas excavaciones de Colt Hoare y de otros, guardaban la mayor parte de su ira para los románticos entusiastas del neodruidismo. Sus conexiones con la magia y el ocultismo condujeron inevitablemente a una reacción de los intelectuales, de forma especial entre la nueva generación de arqueólogos profesionales que querían disociarse de los caballeros aficionados.

A finales del siglo XIX, el apoyo para los druidas entre la clase científica había sido substituido por el desdén; las insinuaciones de que los sacerdotes celtas pudieran estar relacionados con Stonehenge se descartaron de un plumazo.

Entonces el reputado astrónomo británico Sir J. Norman Lockyer entró en escena y demostró que había, en realidad, mucho en común entre los científicos y los románticos.

Lockyer era tanto un iniciado en el mundo de la ciencia como los druidas evangelistas del 1700 habían sido profanos. Junto a sus muchos otros logros –que incluían la fundación de la prestigiosa revista científica *Nature*–, había descubierto en 1890 que las orientaciones de la Gran Pirámide de Gizeh y de otras construcciones antiguas egipcias se correspondían con las posiciones periódicas del Sol y de varias estrellas de primera magnitud.

En 1901, siete años después de publicar sus descubrimientos, Lockyer dedicó su atención a los megalitos de su país. Con la ayuda de su amigo F.C. Penrose, que era astrónomo y arqueólogo, Lockyer fue primero a Stonehenge y luego a otros lugares megalíticos para realizar el mismo tipo de observaciones y cálculos astronómicos que había efectuado en Egipto. En 1906, publicó sus conclusiones en un libro titulado *Stonehenge and Other British Stone Monuments Astronomicalle Considered.*

En dicho volumen Lockyer hizo la controvertida afirmación de que los britanos prehistóricos, «sacerdotes-astrónomos» del segundo y tercer milenio antes de Cristo, habían sido los arquitectos de los misteriosos monumentos de piedra. Aseguraba además que estos antiguos eran fácilmente los equivalentes astronómicos de sus contemporáneos egipcios y que habían planeado Stonehenge como una especie de calendario astronómico, con las piedras dispuestas para marcar puntos cruciales en los movimientos cíclicos del Sol, la Luna, y las estrellas. Las deducciones eran claras: no sólo los antiguos britanos dominaban algunas técnicas complejas de observación, y cálculos a largo plazo, manteniendo el récord científico, sino que los druidas, herederos de su ciencia y filosofía, eran al fin y al cabo los legítimos ocupantes de Stonehenge.

Lockyer era demasiado importante en el campo de la astronomía como para dejarlo a un lado. Pero la mayoría de arqueólogos atacaron sus conclusiones y también al druidismo. Sus teorías pioneras no ganaron partidarios, y pasarían décadas antes de que el trabajo del astrónomo consiguiera reconocimiento y respeto.

El proceso empezó con la investigación del astrónomo Gerald S. Hawkins, un profesor de la Universidad de Boston nacido en Inglaterra. Utilizando un ordenador para comprobar los movimientos de cuerpos celestes contra las posiciones de piedras, los Hoyos de Aubrey, y otros objetos de Stonehenge, Hawkins descubrió lo que creía que era una correlación total con las posiciones extremas de las estaciones de la salida y puesta del Sol y la Luna. Su análisis por ordenador le convenció de que las posibilidades en contra de que una colocación de tanto significado astronómico se hubiera producido por casualidad eran de una entre un millón.

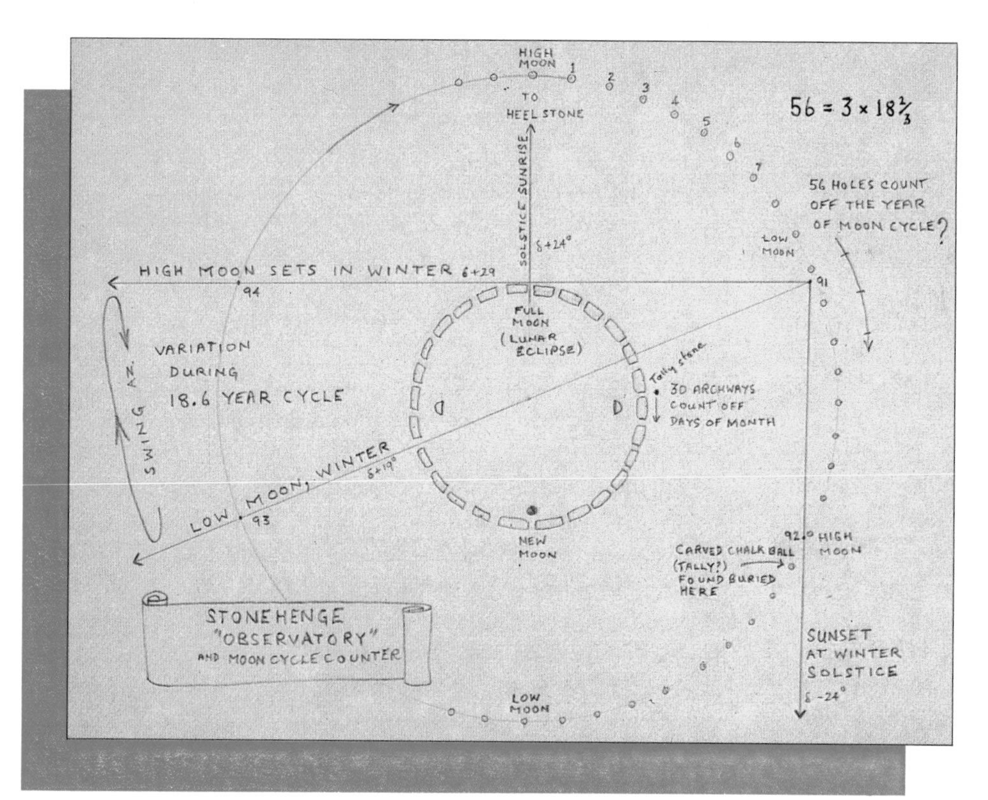


***En este esquema a lápiz, el astrónomo Gerald Hawkins demuestra cómo los antiguos britanos pudieron haber predicho eclipses lunares realizando observaciones desde el interior de la circunferencia de los Hoyos de Aubrey, los cincuenta y seis agujeros del círculo exterior.***

El libro generó un debate público considerable, y sus conclusiones fueron muy discutidas entre los colegas de Hawkins –algunas veces con reminiscencia de las palabras altisonantes provocadas siglos atrás por las teorías pioneras de Inigo Jones. R. J. C. Atkinson, experto en prehistoria, en cuyo libro *Stonehenge* publicado en 1956 había rebatido los descubrimientos de Lockyer, acusó a la obra de Hawkins de «tendenciosa, arrogante, poco correcta y poco convincente».

Sin embargo, Fred Hoyle, un profesor de astronomía de la Universidad de Cambridge, se mostró más sensible a la teoría de Hawkins. Ciertas características de Stonehenge, opinaba Hoyle, parecían revelar un nivel insospechado de conocimientos astronómicos por parte de los constructores de la estructura. «Debió de ser obra de un verdadero Newton o Einstein», declaró maravillado. «Se necesita un nivel de talento intelectual de mayor capacidad que la medida que podría esperarse de una comunidad de granjeros primitivos.»

Si Hawkins había escandalizado a los eruditos ortodoxos con su idea de Stonehenge, aún iba a producirse una conmoción todavía mayor. Al mismo tiempo que se iniciaba el debate sobre sus descubrimientos en *Stonehenge Decoded,* un especialmente obstinado investigador de megalitos continuaba recopilando datos que pudieran aplastar a algunos de los enemigos más pertinaces de la arqueoastronomía.

Hawkins publicó lo que parecían sus conclusiones definitivas sobre las alineaciones astronómicas de Stonehenge en 1963 –bastante apropiadamente en la revista *Nature.* Ocho meses después, escribiendo en el mismo semanario, llevó su argumento más lejos e insinuó que Stonehenge era una especie de ordenador de la Edad de Piedra, diseñado para pronosticar eclipses lunares. El cronometrado de los eclipses, dijo Hawkins, establecía una conexión de 18.6 ciclo anual de movimientos lunares en el cielo nocturno, y afirmaba que los astrónomos de Stonehenge debían haber sido capaces de encontrar esta relación moviendo marcadores de piedra alrededor del círculo de los 56 Hoyos de Aubrey. En 1965, Hawkins publicó una versión ampliada de su teoría sobre Stonehenge en un libro titulado simplemente *Stonehenge Decoded.*

Alexander Thom, un ingeniero escocés, profesor de la Universidad de Oxford hasta su jubilación en 1961, había estado visitando construcciones de piedra antiguas desde antes de la Segunda Guerra Mundial. Sin embargo, su primera visita a Stonehenge la realizó en 1973. Para entonces ya había publicado dos libros –*Megalitic Sites in Britain* y *Megalithic Lunar Observatories*– en los que aseguraba haber identificado una compleja red de lugares astronómicos prehistóricos. Había

*Este megalito en Cornualles era considerado una piedra curativa; se hacía pasar a los niños enfermos a través del agujero para sanarles. La piedra vertical se supone que se utilizaba para observaciones astronómicas.*

*Túmulos redondos en Wiltshire, Inglaterra, marcan una línea hacia un claro entre los árboles a lo lejos. Algunos estudiosos de estas alineaciones creen que están situadas encima de canales de fuerza que emiten una misteriosa energía geofísica.*

descubierto aún más que simples alineaciones entre megalitos individuales y los ciclos del Sol, la Luna y las estrellas. También había encontrado muchos pares de construcciones, a veces a varios kilómetros de distancia, que podían alinearse como la parte frontal y posterior del punto de mira de un rifle para hacer observaciones astronómicas de importancia.

Cuando por fin llevó su equipo de topografía a Stonehenge, Thom llegó a la conclusión de que el más famoso de todos los megalitos había sido levantado como observatorio central posterior desde donde los astrónomos prehistóricos podían tomar mediciones de seis puntos frontales distintos. El más cercano Thom lo identificó como un túmulo, justo a 1,300 km al sudeste de Stonehenge; el más alejado era un terraplén sobre un otero a diez kilómetros al noroeste.

La teoría de Thom sostenía que los constructores de megalitos en todo el oeste de Europa erigían sus monumentos independientes de acuerdo con ciertas normativas comunes. La principal era una unidad de medida que Thom llamó la «yarda megalítica», de 2,72 pies, que calculó midiendo y comparando los diámetros de numerosos círculos de piedras. También descubrió que estos constructores primitivos tenían tantos conocimientos de geometría como de astronomía: habían trazado sus estructuras en seis formas proporcionadas, mostrando un conocimiento de los principios geométricos de Pitágoras siglos antes del nacimiento del matemático griego.

Los estudiosos como Atkinson, que habían arremetido contra Lockyer y Hawkins, se suponía que también insultarían a Thom. Pero cuando el *Journal for the History of Astronomy* publicó los descubrimientos de Stonehenge realizados por Thom en 1975, Atkinson estudió los datos cuidadosamente recopilados por el ingeniero y confesó que tenía que retractarse de declaraciones anteriores. «Es importante que quienes no son arqueólogos comprendan lo molesto que resulta para los arqueólogos el significado del trabajo de Thom –escribió Atkinson– porque sus opiniones no se ajustan al modelo conceptual de la prehistoria de Europa que ha sido habitual durante todo el siglo presente.» Pero delante de las pruebas aplastantes de Thom, Atkinson estaba dispuesto a abandonar esa visión imperante de la prehistoria; era innegable la demostración de Thom sobre las habilidades astronómicas de los supuestamente atrasados britanos primitivos.

Había llegado por fin la arqueoastronomía. Y su aceptación por parte de la clase científica sirvió de ayuda y de consuelo a muchas personas no científicas que habían desarrollado sus propias ideas sobre Stonehenge y otros megalitos. Si una teoría previamente desdeñada podía reivindicarse de un simple plumazo, ¿quién se atrevía a decir que no se redimiera también a otras?

Es probable que la mejor de estas teorías arqueológicas alternativas se creara durante los años 20 por un hombre de negocios llamado Alfred Watkins. Watkins aseguraba haber descubierto una serie de líneas rectas –a las que llamó «leys» tomando la palabra sajona para «pradera» o «franja de terreno despejado»– que entrecruzaban los confines de la campiña galesa que él tan bien conocía.

Estos *leys*, aseguraba Watkins, eran caminos hechos por el hombre que enlazaban megalitos, túmulos y otras construcciones importantes, algunas de ellas situadas en lo alto de colinas como supuestos puntos de inicio. En conjunto, los *leys* y los puntos formaban, en su poética frase, «una cadena mágica, que se extendía de cumbre a cumbre de montañas hasta donde alcanzaba la vista». Dedujo que los *leys* marcaban antiguas rutas comerciales trazadas entre el 4000 y el 2000 a.C., pero posteriormente habían sido abandonadas y olvidadas. Y descubrió que muchas iglesias cristianas primitivas habían sido construidas en *leys*, seguramente porque habían sido erigidas para substituir templos paganos.

Watkins dejó constancia de sus ideas en tres libros, incluidos *Early British Trackways* (1922) y *The Old Straight Track* (1925). La ciencia convencional no demostró ningún interés por sus teorías, pero Watkins consiguió algunos partidarios. A finales de los años 20, esos seguidores se unieron para formar el Old Straight Track Club y publicar una revista titulada *The Ley Hunter*. Por muy original que pareciera, Watkins no era el único que había descubierto los caminos de *leys*. Varios estudiosos de la antigüedad anteriores habían informado de la alineación en algunos lugares: en Norteamérica en 1850, William Pidgeon había observado alineaciones de túmulos indios. Al mismo tiempo que Watkins, el planificador regional alemán Joseph Heinsch estudiaba en su país las alineaciones de antiguas iglesias con «colinas sagradas», y Wilhelm Teudt investigaba lo que llamaba «líneas sagradas» que cruzaban Alemania

campo a través. Ninguno de estos investigadores conocía el trabajo de sus contemporáneos.

Investigadores posteriores descubrirían sistemas de líneas rectas en los Andes que eran también similares a las de Watkins. Las más famosas son las líneas de Nazca en el Perú, caminos en el desierto que continúan sin desviarse por encima de colinas y a través de un valle hasta una longitud de ocho kilómetros. Incluso más relacionadas con el concepto de *leys* son las líneas en el oeste de Bolivia conocidas como *taki'is*, una palabra entendida por los indios aymará locales y que significa «líneas rectas de lugares sagrados». Estas alineaciones pueden extenderse hasta veinticinco kilómetros, aunque la mayoría son bastante más cortas.

En 1976, el escritor-explorador británico Tony Morrison estudió estas líneas bolivianas con un equipo especial de infrarrojos y descubrió que eran sorprendentemente exactas. Pero el propósito original de tal precisión continúa siendo un misterio: la única pista la proporcionó una mujer india que le dijo a Morrison que eran «senderos espirituales». Para complicar aún más la cosa existe el hecho de que muchas iglesias coloniales españolas primitivas están edificadas en estas alineaciones, una coincidencia de emplazamiento igual a la declarada por Watkins en Gran Bretaña. Al año siguiente, Morrison utilizó fotografía de infrarrojos para encontrar líneas rectas, o *ceques*, que irradiaban desde el Templo del Sol de los incas en Cuzco, Perú.

Pese a que el Old Straight Trackers Club de Watkins se había disuelto por la época de la Segunda Guerra Mundial, el interés por las alineaciones renació durante los años 60, impulsado por los descubrimientos de Thom y el consiguiente auge en las vicisitudes de la arqueoastronomía. Un entusiasta de las alineaciones fue más allá de la teoría original de Watkins al declarar que eran «una impresionante red de líneas de fuerza sutiles atravesando Gran Bretaña, y alguna parte del espacio sideral, conocida y señalada en tiempos prehistóricos por hombres de talento cósmico». Según esta opinión, las alineaciones transmiten una misteriosa energía conocida por los constructores de megalitos, quienes, de alguna forma, la almacenaban o la aprovechaban en las grandes piedras que erigían. Stonehenge, donde se cruzan dos de las alineaciones más importantes, sería un punto focal de energías, una especie de acumulador o una estación receptora y transmisora conectada a una misteriosa red de energía.

Para muchos investigadores de alineaciones, una herramienta fundamental es la vara de zahorí, una vara bifurcada generalmente construida con la rama de un árbol vivo, que suelen utilizar los adivinos para percibir corrientes de agua subterránea. La vara, sostenida por el zahorí mientras camina, se cree que se dobla hacia el suelo donde hay un manantial; cuanto mayor es el caudal, más fuerte es el tirón de la vara. Tal aparejo se utilizó por primera vez para rastrear alineaciones en los años 30 por zahoríes franceses, quienes aseguraron que había cruces de aguas subterráneas en las alineaciones debajo de ciertos lugares primitivos, especialmente debajo de megalitos. En décadas recientes, varios zahoríes británicos, norteameri-canos y europeos se han concentrado en buscar muestras de energía alrededor de piedras verticales y entre grupos de megalitos. La más notable de estas iniciativas es quizá el Proyecto Dragón, encabezado por el periodista Paul Devereux.

Algunos exploradores de alineaciones se han visto sorprendidos por la correlación existente entre lugares megalíticos y avistamientos de OVNIS, argumentando que edificaciones como Stonehenge pudieron haber sido construidas como marcadores en la Tierra y lugares de aterrizaje para visitantes extraterrestres. John Michell, uno de los defensores a ultranza de esta teoría, ha ido tan lejos como suponer que Stonehenge tenía la intención de representar la forma de un antiguo vehículo extraterrestre cuyos avanzados ocupantes les parecían dioses a los britanos de la Edad de Piedra. El monumento, asegura, es «una representación del disco sagrado, construido para atraer a este objeto por el que el hombre sentía tanta añoranza». Desarrollando esta teoría en un libro titulado *The Flying Saucer Vision,* Michell dice que, vista desde arriba, la forma de Stonehenge «refleja exactamente la forma convencional de un platillo volante... tiene el borde exterior bien definido, que consiste en un terraplén y una zanja. Dentro están los Hoyos de Aubrey... justamente las portillas tan a menudo representadas en los platillos volantes... en el centro está el perfecto círculo de piedra de la cabina elevada, encerrando el trilito en forma de herradura que aparece sobre el borde que la rodea como una cúpula o cabina. Las piedras de basalto más pequeñas quedan dentro del círculo y son visibles a través de las aberturas... parece probable que estas piedras que se transportaron desde Gales estuvieran colocadas anteriormente en alguna otra parte para indicar lugares de contacto entre hombres y dioses y que se llevaron a Stonehenge para representar a los dioses en el interior de su vehículo».

Se ha informado repetidamente de avistamientos de OVNIS en las cercanías de Stonehenge; varios se han producido dentro de su recinto. En el mes de febrero de 1954, un fotógrafo que había tomado fotografías de Stonehenge descubrió al revelar el carrete que en todas las instantáneas aparecía «una columna de luz» –supuestamente un misterioso avión– que se elevaba desde las piedras hasta el cielo. En 1968, un investigador de OVNIS informó haber visto en Stonehenge un objeto volante que en algún momento «apagó todas las luces», luego se transformó en un anillo de fuego que parecía surgir de las piedras; cuando los observadores intentaron acercarse, la nave se elevó vertiginosamente hacia el cielo. En octubre de 1977, un escuadrón de OVNIS se movía con mucha rapidez cambiando la formación de Stonehenge, y algunas de las supuestas naves se desvanecieron ante los ojos de los observadores. Se dijo que esta extraña actividad espacial había causado interferencias en los compases magnéticos y en un televisor portátil, y una linterna enfocada hacia los OVNIS quedó inutilizada por alguna fuerza inexplicable que la hizo fundirse antes de que pudiera iluminar los objetos volantes. Pero los observadores consiguieron captar este avistamiento múltiple en una filmadora, y a finales de ese año se emitió una película del evento en la televisión británica.

*Los dibujos en espiral adornan una piedra en el exterior de una tumba de Newgrange, Irlanda. Algunos arqueólogos creen que Newgrange era un templo al Sol y que las espirales representan su renacimiento en el solsticio de invierno.*

Quizás incluso más inexplicable que los informes sobre actividad de OVNIS es la historia de un grupo de visitantes que hablaron de haber oído un «extraño chasquido que procedía de las piedras». Mientras salían huyendo asustados, oyeron que el sonido cambiaba hasta convertirse en «un zumbido que bajaba desde el cielo como si se hubiera puesto en marcha una impresora gigantesca». Poco después tuvieron la visión de una mujer con un túnica amarilla y lo que parecía un tocado egipcio. Esta aparición, junto con lo que habían oído cerca de las piedras, dejaron a los visitantes con la sensación de que habían presenciado «una especie de lucha entre el bien y el mal».

Este incidente puede ser considerado una manifestación de otro fenómeno que se afirma se produce en lugares megalíticos: la presencia de emisiones psíquicas, o supuestos campos de memoria. Algunas personas que aseguran estar dotadas con poderes psíquicos que les capacitan para distinguir imágenes de ciertos acontecimientos de la antigüedad y que practican un arte arcano llamado psicometría, han investigado los lugares para ver si podían obtener visiones de los habitantes primitivos. Una de ellas, después de experimentar «el pensamiento» de un círculo de piedras de Irlanda, aseguraba haber visto sacerdotes con túnicas amarillas paseando entre las piedras. También había sentido que los sacerdotes habían perdido su domino del lugar y les habían sucedido otros que cometían «atrocidades». Otro psicometrista había asegurado ver energía cósmica en el centro de un círculo de piedras en Cumbria, Inglaterra. La energía parecía muy real, como «una verdadera columna de energía viviente... de madreperla, opalina y con la parte interior rosada». Al parecer, Stonehenge no ha sido una tierra fértil para los psicometristas, aunque sin duda continuarán buscando campos de memoria en la zona.

Otros sistemas de descubrimiento de las verdades esenciales de Stonehenge han sido propuestos con mucha imaginación por el norteamericano Donald Cyr. Cyr sostiene que las respuestas se encuentran en las muestras del halo atmosférico que nos permiten «ver con rayos X la mente de nuestros antepasados prehistóricos y deducir lo que pensaban al respecto y el porqué». Según este complicado análisis, los cielos de la antigua Salisbury Plain estaban cubiertos por una bóveda de cristales de hielo que refractaban los rayos del Sol para formar halos atmosféricos, incluyendo algunos de 22 grados y de 46 grados. Dichos halos, asegura Cyr, eran «comprobados diariamente cuando se proyectó Stonehenge... un semicírculo con un radio exacto de 22 grados (dictado por el comportamiento de la refracción del cristal de hielo en este ángulo) caería exactamente encima de las cuatro piedras de Sarcen y sus dinteles». Cyr vincula estos halos con la posición, altura, cortes y curvaturas de cada una de las piedras en relación con la progresión anual del Sol.

Cosas como halos atmosféricos pueden sonar extravagantes –pero lo mismo sucedía con la arqueoastronomía. Y nadie puede predecir con absoluta certeza que las alineaciones u otras teorías arqueológicas alternativas sobre Stonehenge no cuentes algún día con la misma aprobación científica. Pero lo que sí es seguro es que Stonehenge continuará fascinando.

Y es también seguro que los científicos y los místicos continuarán estudiando los megalitos de Salisbury Plain con interés creciente, luchando como han hecho durante siglos para averiguar los muchos secretos del monumento. Se añadirán nuevas teorías a las muchas ya propuestas para explicar Stonehenge, y se empleará tecnología avanzada como complemento a los rayos láser, contadores Geiger, ordenadores y cámaras de infrarrojos que ya se están utilizando.

Pero es posible que los misterios de Stonehenge nunca sean totalmente descubiertos, que algunas preguntas sobre su origen y su utilidad estén destinadas a quedar sin respuesta. Quizás, al fin y al cabo, la última palabra sobre Stonehange la pronunciara Samuel Pepys, un oficial naval del siglo XVII. En 1668, Pepys visitó las piedras y anotó en su diario: ¡Dios sabe para qué servirían!

# Alineaciones enigmáticas

Se dice que un elevado número de experiencias sobrenaturales tienen lugar en o cerca de colinas, dólmenes, círculos de piedra, altares paganos de la prehistoria e iglesias medievales que forman unas extraordinarias alineaciones. Algunos de los que han visitado estos lugares han tenido apariciones de personajes históricos representando otra vez las hazañas que realizaron en vida. Otros afirman sentir la presencia física de una extraña fuerza que no pueden ver ni identificar, pero que les eleva del suelo, les golpea, les empuja influyendo de un modo inexplicable en su estado de ánimo. Nadie puede explicar las causas de estos sucesos, a pesar de los esfuerzos de estadistas, ingenieros, zahoríes, aficionados a los OVNIS, espiritistas y astroarqueólogos.

Algunos investigadores creen que estas alineaciones se hallan situadas a lo largo de canales de energía geofísica. Sospechan que los antepasados percibían una energía vibrante que fluía por la tierra y construían sus monumentos en lugares donde esta energía era más intensa. Otros creen que las intersecciones de estas alineaciones forman nodos que, según ellos, son puntos donde la energía es especialmente intensa y origina fenómenos psíquicos.

Las explicaciones de estos episodios son confusas, pero es cierto que en estas alineaciones han tenido lugar numerosas experiencias psíquicas. Los relatos de las páginas siguientes tratan de estos episodios.

# Ejército fantasma en Loe Bar

Una tarde de agosto de 1936, un joven de 16 años llamado Stephen Jenkins se hallaba paseando en Loe Bar, un lugar de la costa de Cornualles cerca de donde se dice que murió el rey Arturo. De repente, Jenkins se sorprendió al ver un ejército de soldados medievales con vestidos de mallas delante de él. Llevaban capas rojas, blancas y negras; los caballos iban tan engalanados como sus jinetes. Un soldado, las manos sobre la espalda, se hallaba de pie mirando hacia Jenkins. Éste dio un paso hacia delante para observar más de cerca, pero al hacerlo el ejército desapareció tan rápidamente como había aparecido.

Esta experiencia individual era difícil de creer. Pero cuando Jenkins volvió al lugar treinta y ocho años más tarde, esta vez con un mapa en la mano y acompañado de su esposa, ante sus ojos apareció la misma imagen de unos años antes y se desvaneció con igual rapidez. Aunque parezca increíble, su esposa tuvo la misma visión.

La explicación de Jenkins es que unos soldados fantasmas vagan por los campos de Cornualles y se hacen visibles debido a la energía psíquica que emana de los nodos, o intersecciones, de las lí-neas cercanas. Loe Bar se halla situado en una línea que va desde Landewednack Church, pasando por Breage Church, hasta el cruce de otras dos líneas en Towshend *(abajo).*

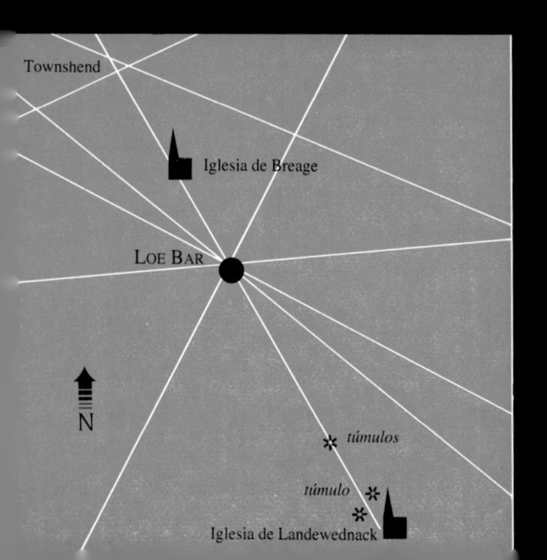

# Levitación en
# Chanctonbury Ring

Chanctonbury Ring, antiguo terraplén en forma de círculo ronado por un anillo de hayas, se halla uado en una colina en la costa sur de glaterra. Anteriormente había sido un erte anglosajón, escenario de feroces tallas. Se halla en una intersección no- l de cinco líneas, una en dirección oeste sados varios túmulos hasta los terraple- s de Rackham Banks, otra en dirección rte hacia Nun's Well y otras tres en di- cción este haya Poynings Church, evil's Dyke y Kingston Church *(abajo)*.

La noche del 25 de agosto de 1974, hombre llamado William Lincoln se rigió hacia el lugar con tres amigos, raídos por los relatos de los numerosos cesos ocurridos allí.

A las 11 aproximadamente, cuando traban en la oscuridad del anillo de ár- les, Lincoln consiguió más de lo espera- . Sin previo aviso, explicaron más tarde s compañeros, fue agarrado por una erza invisible y elevado a metro y medio l suelo; quedó suspendido horizontal- ente durante treinta segundos o más an- s de caer a tierra. Ni él ni sus amigos eron nada que pudiera justificar la levi- ción, pero guardan un recuerdo del ex- año suceso. Uno de los compañeros de incoln tuvo la serenidad de llevar una abadora en la que podía oírse la voz de incoln gritando: «¡Dejadme, dejadme!», plicando que le soltaran.

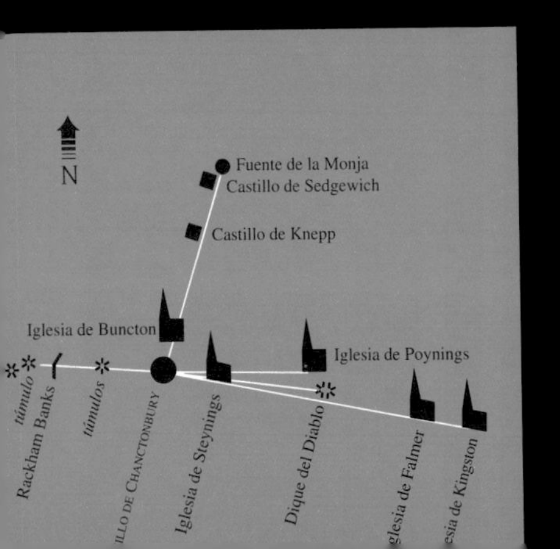

# Encuentro en Chilcomb Road

Joyce Bowles, un rabajador de la Winchester Railway Station, se dirigía en coche, con su vecino Ted Pratt, hacia el pueblo vecino de Chilcomb la noche de un domingo en noviembre de 1976, para ir a buscar a su hijo Stephen. De repente, el coche sufrió una violenta sacudida y volcó sobre la hierba al lado de la carretera. Las luces delanteras se apagaron y el motor se detuvo. Joyce y su pasajero miraron por la ventana y vieron una nave en forma de cigarro de color naranja brillante suspendida sobre la carretera. A través de las ventanas pudieron ver tres cabezas alineadas como los pasajeros de un autobús. Luego, una de las figuras emergió de la nave y se acercó al coche. Tenía unos ojos rosas penetrantes sin pupilas ni iris y llevaba un uniforme plateado. «Se quedó mirando los mandos del coche a través de la ventana», explicó Joyce Bowles. Sin más, el motor volvió a la vida y las luces del coche se encendieron otra vez. «Entonces, tanto él como el cigarro se desvanecieron», dijo.

Algunos estudiosos sostienen que estas alineaciones desprenden unas fuerzas energéticas especiales procedentes de la Tierra que atraen seres del espacio no identificados. En cualquier caso, dos de estas alineaciones de antiguos cementerios que empiezan en Old Winchester Hill convergen en Chilcomb Road *(abajo)*, cerca del lugar donde Joyce Bowles y Ted Pratt afirmaron haber tenido este peculiar encuentro.

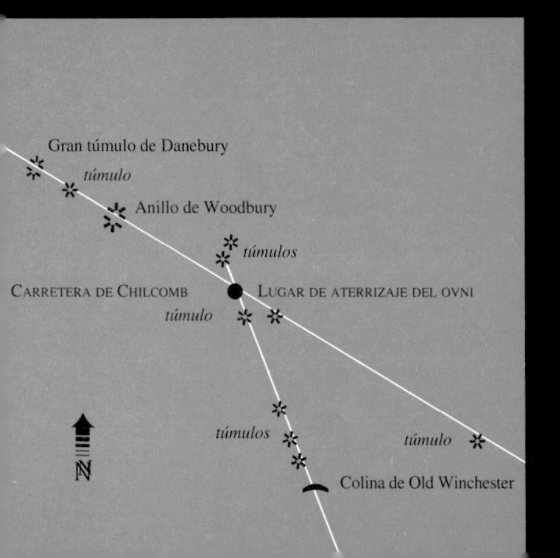

# CAPÍTULO 4

# Dibujos sobre la Tierra

En una calurosa tarde de 1941 sobre la meseta de Nazca, en el sur del Perú, dos norteamericanos estudiaban lo que parecía ser una desconcertante extensión surcada por marcas de varios kilómetros de longitud. Cientos de pálidas líneas se extendían por el desierto en todas direcciones, entrecruzándose en un tapiz caótico. Algunas de esas líneas, conocidas entre los nativos como las carreteras incas, procedían de un punto central como los radios de una rueda o los destellos de una estrella. Otras estaban conectadas a triángulos alargados y a trapezoides asombrosamente parecidos a las pistas de aterrizaje de un aeropuerto (pág. 121).

El historiador Paul Kosok y su esposa, Rose, habían llegado a Perú para estudiar antiguos sistemas de irrigación, pero las raras marcas del desierto de Nazca (también conocido como Nasca) habían atraído inexorablemente su atención. Decidieron seguir el recorrido de una de las líneas más anchas con su camión y ésta les condujo a la vertiente de una meseta, donde se detenía en medio de una extensa maraña de marcas que radiaban de su punto central.

«No sólo encontramos más líneas –escribía Kosok más tarde– sino también rectángulos y trapecios enormes... Y lo que resultó más sorprendente, los restos borrosos de un dibujo hecho con pedruscos y escombros de más de 50 metros de longitud junto a uno de los rectángulos, muy cerca del centro original.

»Finalmente, con nuestras mentes ocupadas en infinidad de interrogantes sobre estos restos extraños y fantásticos, regresamos al centro de la radiación para contemplar una impresionante puesta de Sol. Precisamente al observar cómo el Sol desaparecía tras el horizonte, nos dimos cuenta de que se ponía casi con exactitud ¡sobre el fin de una de las líneas largas independientes! Instantes después recordamos que estábamos a 22 de junio, el solsticio de invierno en el hemisferio sur –el día más corto del año y también la fecha en que el Sol se sitúa más al norte con relación al oeste. Con gran excitación nos dimos cuenta de que, al parecer, habíamos encontrado la clave del misterio.»

¿O no fue así? Kosok, en este destello de inspiración, concluyó que las llamadas líneas de Nazca constituían una guía gigante del movimiento de los cuerpos celestes –una noción derivada de los estudios realizados por Sir Norman Lockyer sobre Stonehenge, en Gran Bretaña, a principios del mismo siglo (pág. 87). Sin embargo, la teoría de Kosok pronto se convirtió en una más entre las muchas ideas, debatidas apasionadamente, sobre los orígenes de los enigmáticos dibujos peruanos. Cuando la noticia del misterio de Nazca se extendió, los arqueólogos hallaron mayor dificultad en su resolución a causa del descubrimiento de enormes figuras de animales excavadas en el suelo del desierto y en las laderas adyacentes: una araña con cintura de avispa, un estilizado colibrí, un hombre búho pastando de forma curiosa y presidiendo el paisaje. Los dibujos gigantes pare-cían acarrear un mensaje cuyo significado se hubiera perdido en el tiempo.

Aunque los símbolos del desierto de Nazca forman la más espectacular colección de geoglifos –o dibujos sobre la tierra– del mundo, no son únicos. Acompañándoles en misterio se encuentran las efigies similares –de serpientes, aves y seres humanos– halladas en las colinas del sudoeste de Norteamérica y formadas por las enigmáticas esculturas de los antiguos constructores de túmulos del centro y sur de los Estados Unidos. En la parte suroeste de Inglaterra, en las laderas de las colinas, encontramos siluetas de seres humanos y de caballos, cuyos orígenes se pierden en la prehistoria y que fueron mantenidas cuidadosamente hasta bien entrada la era moderna por los pobladores locales, quienes sabían bien poco o nada sobre el propósito original de esas efigies. El aspecto más desconcertante, con diferencia, de estos trabajos gigantes, es que muchos de ellos no pueden ser vistos enteramnente desde el suelo. Sólo desde una cierta altura empiezan a adquirir una forma reconocible. El misterio de por qué fueron construidos y quién se esperaba que los viera, ha confundido a arqueólogos e investigadores durante años.

De todos los geoglifos que hay en el mundo, ninguno ha atraído más atención sobre sí –o ha provocado más controversias– que los de Nazca. Desde los tiempos de Kosok, los arqueólogos han elaborado mapas de los miles de líneas –algunas de las cuales se extienden por espacio de hasta nueve kilómetros, y de docenas de figuras, incluidas dieciocho aves con longitudes que oscilan entre los 9 y los más de 150 metros. Se encuentran desperdigados por los aproximadamente 900 kilómetros cuadrados de una árida meseta situada entre la vertiente oeste de los Andes y la costa peruana, donde una combinación fortuita de la geología y el clima ayudó a crear un medio ideal para los artistas terrestres de Nazca.

Recubriendo la base de arena amarilla y arcilla del desierto existe una fina capa de rocas volcánicas y de pedruscos ennegrecidos a causa de su larga exposición a la atmósfera. Las líneas que hay sobre esta también llamada pizarra natural son poco más que rasguños en la superficie, hechos raspando unos pocos centímetros de rocas hasta dejar al descubierto el pálido subsuelo. En otro clima, la erosión las hubiera borrado en pocos meses, pero Nazca es una de las regiones más secas de la Tierra, con un promedio que ronda tan sólo el centímetro y medio de lluvia cada dos años. La erosión del viento es también mínima gracias a una capa de aire cálido e inmóvil que se extiende a ras del suelo. Esta coraza termal se forma a causa de las rocas de coloración oscura que absorben la energía solar y despiden calor. Desnuda de vegetación, la inmemorial meseta de Nazca es tan árida y tiene un aspecto tan extraterrestre que los observadores la han comparado con la superficie de Marte.

Paul Kosok, en su breve visita a la zona, llegó a la conclusión de que las líneas podían ser parte de un observatorio destinado a seguir los acontecimientos celestes. Esto habría permitido a los antiguos habitantes del desierto calcular cuándo volverían a fluir los ríos, rellenando los acueductos y permitiéndoles así plantar sus cosechas. Pero Kosok tuvo que interrumpir pronto sus investigaciones en Nazca y regresar a su tarea docente en la universidad de Long Island en Nueva York. Sin embargo, antes de marchar pasó el relevo a una conocida suya de origen alemán: Maria Reiche.

Kosok no pudo haber escogido un discípulo más dedicado. Nacida en 1903 en la pintoresca ciudad de Dresde, Maria Reiche era hija de un juez. Miope y tímida, fue educada en el seno de una estricta familia que fomentó sus capacidades tanto intelectuales como físicas. Alrededor de los años veinte, Reiche destacaba en matemáticas y natación en la universidad de Hamburgo, y se había convertido en una joven excepcionalmente decidida e independiente.

La llegada al poder del partido Nazi decidió a Reiche a abandonar su país. En 1932 leyó un anuncio en un periódico de Hamburgo en el cual se ofrecía trabajo como gobernanta de una familia acomodada alemana en la ciudad de Lima y no se lo pensó dos veces. Fue allí donde conoció a Kosok quien, impresionado por sus conocimientos en matemática y astronomía, la interesó en el estudio de los extraños geoglifos. Reiche, que contaba treinta y seis años por aquel entonces, dedicaría el resto de su vida al misterio de las líneas. «Simplemente me vi envuelta en ello –dijo una vez, al explicar su vocación–, siempre he sido muy, muy curiosa.»

Abandonando su trabajo, Reiche se mudó de Lima a un pueblo cercano a Nazca en 1945 para dedicar todo su tiempo a las líneas, las cuales empezó a fotografiar y cartografiar exhaustivamente. Vegetariana y asceta, vivía en el desierto durante semanas y semanas, durmiendo en un camastro de campaña y subsistiendo a base de pan, queso, fruta y leche. Al llegar los solsticios, esa delgada mujer con gafas se levantaba antes del amanecer y se adentraba a pie en la solitaria meseta para ver cómo se alzaba el Sol por encima de las marcas. Sus observaciones corroboraron las de Kosok: ciertas líneas señalaban los lugares de salida y de puesta del Sol en el solsticio de verano y en los equinoccios de primavera y de otoño, así como los puntos en el horizonte que marcaban la aparición de las principales estrellas en cada estación.

Reiche se llevó una escoba al desierto y barrió metódicamente los escombros de las líneas. De hecho, gastó tal cantidad de escobas, que compraba en un pueblo cercano, que al principio los habitantes nativos temían que se tratara de una bruja. En cierta ocasión, después de andar en círculos durante días, barriendo un sendero en forma de espiral, se dio cuenta de que se encontraba en la cola de una gigantesca figura de mono. «Simplemente me senté en la pampa y me puse a reír», recordaba más tarde. Al descubrir nuevos símbolos animales, notó su parecido con las figuras que decoraban la cerámica y los tejidos de los indios nazca. Los arqueólogos que visitaron el lugar confirmaron sus sospechas: objetos hallados cerca de las líneas databan de la era cuando la cultura de los indios nazca dominaba el desierto.

Poco se sabe de estos antiguos peruanos de la costa, quienes al parecer habrían constituido una compleja sociedad muy anterior al imperio inca. Al parecer, vivían de la agricultura, em-pleando un sofisticado sistema de irrigación, y construían pirámides y elaboraban cerámica y tejidos de gran mérito. Miles de fragmentos de cerámica de vivos colores, en su mayoría pertenecientes a la cultura nazca –aproximadamente desde el año 300 a.C. hasta el 540 d.C.–, cubren la meseta de Nazca. Estos fragmentos –y las misteriosas líneas– son prácticamente el único legado de los habitantes de ese desierto.

Como matemática que era, a Reiche le intrigaba la posibilidad de que los nazca pudieran haberse basado en principios geométricos para diseñar y elaborar sus marcas. Descubrió que la rectitud de las líneas, muchas de las cuales se extienden a lo largo de kilómetros por colinas y barrancos sin desviarse, se consiguió probablemente tensando una cuerda entre postes de madera y usándola como guía. Manteniendo los tres postes siempre en una línea visual se aseguraría que el conjunto permaneciera recto.

Mientras que las líneas rectas habrían sido relativamente fáciles de ejecutar, las líneas curvas que caracterizan las figuras animales eran mucho más complicadas. Reiche concluyó que las curvas eran, de hecho, una serie de arcos conectados, cada uno de los cuales representaba una pequeña sección de la circunferencia de un círculo diferente. Cada arco podría haber sido creado asegurando un extremo de una cuerda y desplazando el otro sobre la tierra como un compás. Reiche aseguraba haber encontrado los centros de algunos de

*Asistida por dos ayudantes, Maria Reiche observa los enormes dibujos de Nazca trazados sobre el desierto peruano. La maestra pasó más de cuatro décadas analizando y localizando las antiguas figuras.*

estos círculos en forma de pequeñas áreas donde las rocas habían sido movidas. Propuso también que los radios de los distintos círculos eran parte de un código matemático que, caso de poderse descifrar, revelaría la clave del movimiento de las estrellas y de los planetas.

Las investigaciones de Reiche también revelaron que los nazca planeaban de antemano sus diseños en pequeños esquemas de unos dos metros cuadrados. Halló restos de ellos junto a varias de las figuras mayores. Una vez que los diseñadores habían establecido en un pequeño bosquejo la relación adecuada entre arcos, puntos centrales y radios necesarios para la figura, podían plantearlos a una escala mayor.

Por último, comparando cuidadosamente las proporciones entre las figuras y sus componentes, Reiche determinó que los diseñadores usaban distintas unidades de medida. Los dibujos se podían dividir en «palmos» nazca de aproximadamente unos veinte centímetros y «metros» que medían alrededor de ciento cincuenta centímetros. Otra unidad que aparece con cierta regularidad mide justo por debajo de los dos metros (1,95 metros). Al medir un geoglifo gigante con forma de tridente conocido como la Candelabra, que está situado en una ladera en la bahía de Pisco, a unos 240 kilómetros al norte de Nazca, descubrió que tenía la sugerente medida de 195 metros de longitud. Los estudiosos siguen debatiendo los orígenes de este espectacular dibujo.

La vida de Reiche giró alrededor del inmutable desierto y de su gente. Con el tiempo, la espigada figura vestida con un sencillo vestido de algodón, zapatos de alpaca y zapatillas de suela de goma, se convirtió en una heroína peruana: el pueblo de Nazca celebra su cumpleaños y una calle y una escuela llevan su nombre. También ganó reputación internacional por su estudio monotemático de «las líneas». La «muy, muy curiosa» mujer continuaba su labor bien entrada la década de los ochenta –una frágil octogenaria, medio ciega, obsesionada por los secretos de los antiguos nazca.

A pesar de su exhaustivo trabajo, Maria Reiche no consiguió que sus teoría sobre el propósito y la construcción de las líneas fuera aceptada universalmente. Algunos observadores que creían que debía haber algo más que astronomía tras los misteriosos dibujos, propusieron soluciones más exóticas. Uno de estos teóricos fue un ex hotelero suizo y autor novel llamado Erich von Däniken.

*La "Candelabra" de los Andes está situada en una ladera sobre el océano Pacífico. No se sabe mucho de esta figura de 195 metros. Varios teóricos la han asociado con un símbolo de la Trinidad, un dibujo del Árbol de la Vida y una señal de referencia para antiguos astronautas.*

Nacido en 1935 en Zofingen, Suiza, von Däniken era un individualista nato que se reveló pronto contra su inflexible padre y la Iglesia católica romana en el seno de la cual fue educado. La astronomía, la arqueología y el estudio de los objetos voladores no identificados le atraían más que las asignaturas que se enseñaban en la escuela.

Su naturaleza rebelde se reveló también de otras formas. A la edad de diecinueve años, von Däniken fue convicto de robar en un campamento donde trabajaba como monitor de jóvenes. Poco después se hizo aprendiz de un mesonero, pero pronto huyó de esta existencia rutinaria en dirección a Egipto, un país más apropiado para su espíritu inquieto y romántico. Al regresar a Suiza, fue apresado por su presunta implicación en un robo de joyas; finalmente, le condenaron por robo y fue sentenciado a nueves meses de cárcel.

Después de su liberación, el enérgico von Däniken se empleó como cocinero en un hotel en Davos, Suiza, donde pronto se abrió camino hasta llegar a director. Con su vida aparentemente en orden, empezó a viajar por el mundo para reunir pruebas para sus incipientes teorías sobre los orígenes de enigmas tales como la Gran Pirámide de Keops y los geoglifos de Nazca. De vuelta en Suiza, atendía a sus clientes de día y luego trabajaba hasta altas horas de la noche en el manuscrito que se convertiría en su primer libro, *¿Carros de los dioses?*

En su extraordinario y controvertido trabajo, von Däniken proponía que las líneas de Nazca fueron construidas para servir de pistas de aterrizaje a naves espaciales extraterrestres. Según el autor, los astronautas extraterrestres habrían aterrizado en Nazca y en otros lugares en la antigüedad. Al cabo de muchas visitas a lo largo de los años, habrían influido profundamente en el destino de la humanidad, cruzándose con nuestros antepasados remotos y dándoles los genes para conseguir una inteligencia superior. Es más, los extraterrestres dejaron sus tarjetas de visita en formas tan diversas como las líneas de Nazca, los grabados en templos mayas, las pirámides de Egipto, una misteriosa columna metálica en la India y las pinturas rupestres de las culturas prehistóricas en Rusia y China. Como pruebas adicionales de sus teorías, von Däniken citaba mitos sobre visitas pertenecientes a religiones antiguas, así como varias referencias de la Biblia, incluida la visión que el profeta Ezequiel tuvo de unas «ruedas de fuego» –en realidad, proponía von Däniken, platillos volantes.

El escenario que von Däniken dibujaba de Nazca evocaba «inteligencias desconocidas» aterrizando allí en un pasado lejano y construyendo dos pistas para su nave espacial. Una vez completada su misión en la Tierra y de regreso a casa –explicaba von Däniken en *Dioses del espacio exterior*, una secuela de *¿Carros de los dioses?*– las tribus preincaicas, que habían observado cómo trabajaban esos seres y se habían visto fuertemente impresionados por ellos, esperarían apasionadamente el regreso de esos «dioses». Esperaron años y comoquiera que sus esperanzas no se vieran colmadas, empezaron a trazar nuevas líneas sobre el llano, tal y como vieran a los «dioses» hacerlo. Las figuras de animales vinieron después, a medida que los nazca olvidaron su verdadero fin.

Von Däniken había esperado que su libro supusiera un billete hacia la libertad después de la monótona vida de la dirección del hotel –y así fue. Después de ser rechazado por una docena de editores, *¿Carros de los dioses?* fue finalmente aceptado y se convirtió en un «best-seller» internacional tan pronto como apareció en las listas de ventas en 1968. Ese año fue posiblemente el mejor y el peor en la vida de von Däniken. El recién aclamado autor volvió –por segunda vez– a ser un estafador convicto, condenado a un año de prisión por estafar a su hotel 130.000 dólares para financiar sus investigaciones.

Comprensiblemente, la mayoría de los científicos desecharon inmediatamente las dramáticas tesis de von Däniken. Según sus detractores, la idea de von Däniken de que las líneas fueran el resultado de una visita de extraterrestres, simplemente escapaba al sentido común. «Se hace difícil creer –escribió el estudioso E.C. Krupp– que visitantes del espacio exterior, quienes debían disponer de la capacidad tecnológica necesaria para viajar cientos de años-luz hasta la Tierra, necesitaran ni pistas de aterrizaje ni gigantescas cartas de navegación una vez hubieran llegado.» Y, como apuntó Maria Reiche, el blando suelo arenoso de Nazca no es apropiado para el aterrizaje de naves pesadas. «Me temo que los aeronautas habrían embarrancado», dijo.

Los críticos no fueron más amables con von Däniken, al que describieron como un antiintelectual cuyo trabajo se caracterizaba por «su escasez de pruebas y un inacabable torrente de información falsa y engañosa, una brizna de verdad y algunos de los más ilógicos razonamientos que jamás habí-

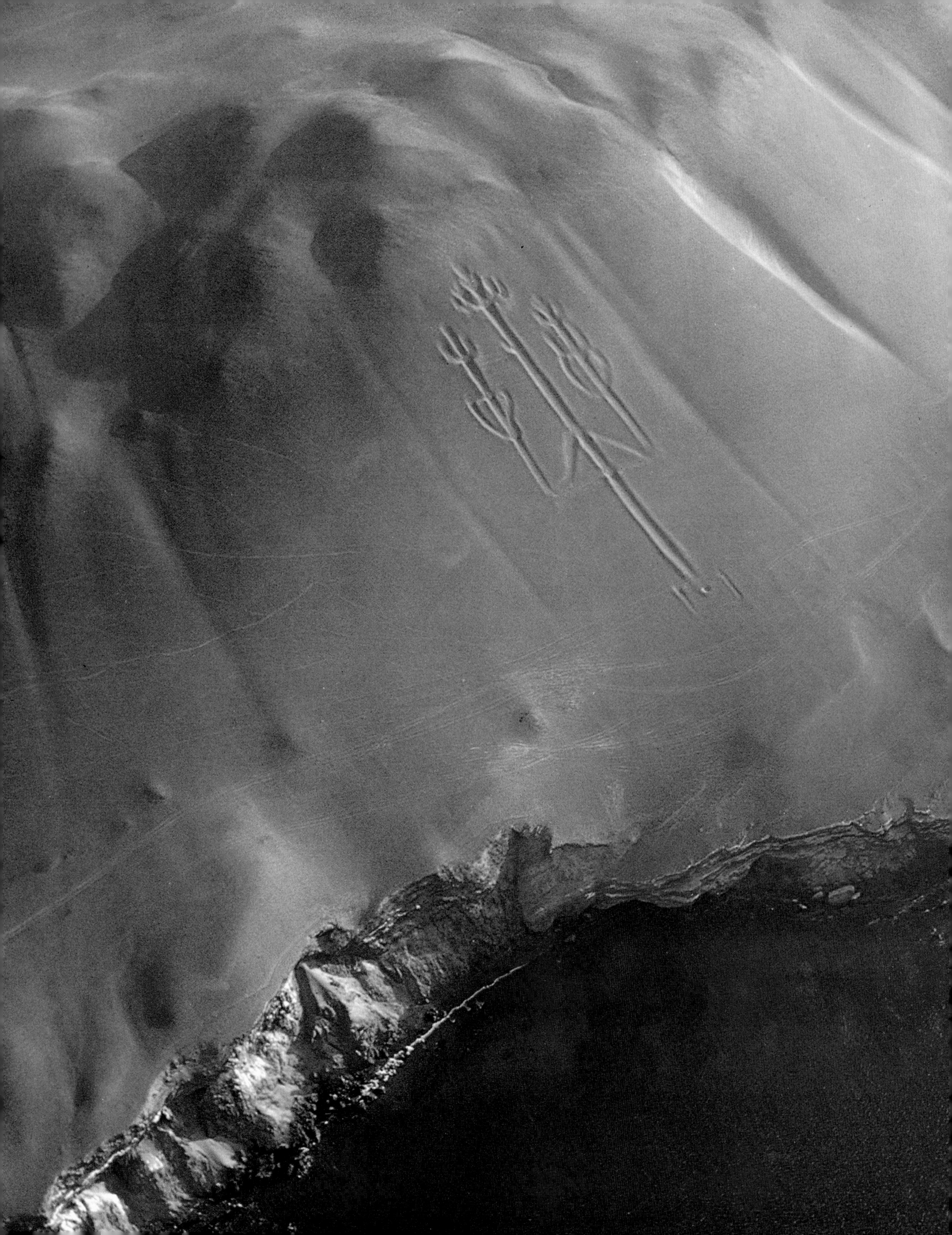

*El escritor Erich von Däniken afirma que este sarcófago conmemora la visita de seres extraterrestres. Los expertos dicen que el bajorrelieve retrata la muerte de un noble maya.*

an sido publicados». El autor, que ha admitido que parte del material era erróneo o no perseguía ser considerado seriamente, replicó alegremente: «Soy el único autor que ha asustado realmente a los críticos. Otros escritores se sientan en sus casas y esperan un milagro. Yo "hago" milagros.»

Tanto si es culpable como inocente, o sea cual sea su grado de integridad como escritor, no hay duda de que von Däniken fue capaz de llegar a un vasto público de gente que cree entusiásticamente que la historia de la humanidad contiene secretos que van más allá de los límites de la arqueología convencional o de la ciencia tradicional. Sus libros fueron alabados por un gran número de lectores fanáticamente leales: menos de una década después de la publicación de *¿Carros de los dioses?*, las obras de von Däniken alcanzaban un total de ventas próximo a los 34 millones de ejemplares en todo el mundo. La tesis principal de von Däniken –que las líneas del desierto de Nazca fueron construidas para ser vistas desde el aire y podían por ello ser dirigidas sólo a antiguos astronautas– fue puesta a prueba cuando un lector americano, el ejecutivo de líneas aéreas Jim Woodman, visitó la zona en el otoño de 1973. A la edad de cuarenta años, el juvenil y desmelenado hombre de negocios ya había fundado Air Florida y se había

convertido en miembro de la Sociedad Internacional de Exploradores, con base en Miami, cuando decidió observar más de cerca las líneas que había vislumbrado en viajes anteriores. Woodman quedó asombrado por el «colosal puzzle» que vio debajo de él cuando sobrevoló en un pequeño aeroplano el desierto de Nazca. Más tarde, al reflexionar sobre el misterio de las líneas, llegó a la conclusión –como le había pasado a von Däniken– de que los creadores de ese panorama debían haberlo construido para que fuera visto desde el aire. Sin embargo, Woodman rechazó la idea de que las líneas fueran dirigidas a los ojos de los extraterrestres. En vez de ello, decidió que, en realidad, quienes debían verlas eran probablemente los propios nazca. Pero ¿cómo?

La primera pieza del puzzle encajó cuando un amigo, el piloto de globos aerostáticos Bill Spohrer, le sugirió medio en broma que quizás los nazca volaban en objetos más ligeros que el aire. Woodman recogió esta idea y empezó a acumular pruebas para fundamentarla. La información que descubrió le produjo sorpresa y entusiasmo. Por ejemplo, los incas, sucesores de los nazca en las colinas peruanas, tenían varias leyendas sobre personajes que podían volar. Woodman también descubrió el sugestivo relato de un sacerdote brasileño, Bartolomeu de Gusmão, quien según parece elevó un modelo de globo de aire caliente ante la corte portuguesa en Lisboa, en 1709. Para Woodman, la parte importante de la historia de Gusmão eran sus antecedentes: había nacido y crecido en Brasil y se podía haber inspirado en los relatos de globos indios que habían traído los exploradores procedentes de la frontera sudamenricana. Es más, Woodman señalaba que varias imágenes de vuelo –incluyendo símbolos parecidos a globos o cometas y hombres pájaro elevándose– decoran muchas piezas de cerámica y tejidos nazca.

Cuanto más pensaba en ello, más se convencía Woodman de que los nazca conocían el secreto del vuelo y volaban habitualmente en globo. Llegó a la convicción de que los indios organizaban ceremonias religiosas asociadas con sus vuelos en globo sobre las llamadas pistas de aterrizaje y elevaban los globos con el humo creado en hornos cercanos, restos de los cuales sobreviven en las agrupaciones de rocas halladas entre las líneas. Lleno de excitación, Woodman se dispuso a probar su atrevida tesis mediante una especie de arqueología experimental: decidió construir su propio globo aerostático al estilo nazca y volar en él. Sólo un nombre resultaba apropiado para el globo: «Cóndor I», en alusión al pájaro gigante de los Andes.

Woodman sabía que para conseguir credibilidad debía construir el «Cóndor I» con materiales y métodos lo más parecidos posible a los de los nazca. Para la funda del globo, o bolsa de aire, escogió un tejido moderno de algodón cuya textura y peso eran idénticos a muestras de mortajas funerarias nazca. Para darle la forma, se basó en las descripciones del globo de Gusmão y en su interpretación de las imágenes de vuelos que decoraban los tejidos y la cerámica nazca. La firma de Dakota del Sur que construyó el «Cóndor I» cosió el globo en forma de tetraedro –una pirámide invertida abierta en su parte inferior para dejar entrar el humo. La canasta, en forma de plátano, fue cosida con hebras de totora recolectadas en las orillas del lago Titicaca, en la frontera entre Perú y Bolivia.

A finales de noviembre de 1975, el «Cóndor I» –de 24 metros de altura y decorado con diseños basados en escenas del desierto de Nazca– estaba listo para su vuelo inaugural. Woodman y su equipo de treinta personas –en el cual figuraban el campeón de globos aerostáticos, Julian Nott, como copiloto, y Maria Reiche, que por aquel entonces tenía setenta y dos años, como observadora– se reunieron en el desierto de Nazca y se pusieron manos a la obra.

Primero, los aeronautas construyeron un horno para generar el humo caliente necesario para el despegue. El horno tenía una caldera para quemar la madera y estaba conectada mediante una trinchera cubierta de unos 8 metros con una embocadura para el humo, sobre la cual se hallaba fijada la bolsa del «Cóndor I». A continuación, la bolsa debía ser «curada» para que su tejido se volviera impermeable al aire. Para conseguirlo, el equipo de Woodman bombeó humo dentro de la bolsa durante varios días hasta que los pequeños poros quedaron obturados por el hollín.

Una vez completamente curado, el globo se encontraba por fin listo para cumplir su cometido. En sus atuendos nada nazca, con cascos y monos militares, Woodman y su copiloto Nott subieron a bordo del «Cóndor I» a las 5,30 de la mañana. Tras soltar las amarras y con una velocidad sorprendente, los dos argonautas se remontaron en silencio hacia el cielo de la madrugada. En cuestión de segundos flotaban a uns 120 metros por encima del desierto.

*El globo «Cóndor I» suelta su lastre y se eleva sobre las líneas de Nazca. El hombre de negocios Jim Woodman, inspirado por las imágenes de la cerámica nazca, construyó la nave con reproducciones de antiguos materiales peruanos para demostrar que los nazca podrían haber sobrevolado sus marcas.*

«El Sol acababa de asomarse tras las montañas –escribió Woodman después– e inundaba la fantástica escena a nuestros pies. Mientras estábamos suspendidos allí, derivando ligeramente al noroeste, me maravilló la visión de la larga pista de aterrizaje de Nazca, de unos 100 metros, a estribor... Los grandes llanos se extendían hacia el horizonte y varias líneas antiguas se distinguían claramente bajo el sol de la mañana. Seguramente, pensé, los hombres que crearon estas líneas las debían haber visto así –con las sombras del alba subrayando su magnífico arte.»

Después de tres minutos, el globo empezó a perder altura a medida que el aire de la bolsa se enfriaba. Cuando la nave tocó tierra, los dos tripulantes saltaron de la góndola. El «Cóndor», repentinamente aligerado de peso, salió disparado nuevamente hacia el aire hasta una altitud de 400 metros y voló varias millas antes de descender poco a poco hacia el desierto por segunda y última vez –suficiente tiempo, en lo que respectaba a Woodman, para probar su teoría de que los nazca podrían haberse elevado en el cielo en globos de aire caliente.

A pesar de las teorías de Woodman, von Däniken y Reiche, Nazca sigue siendo un enigma. Cada solución propuesta del enigma no parecía hacer más que plantar nuevos interrogantes. En 1968, el astrónomo Gerald Hawkins visitó el desierto, donde estableció la posición de las líneas para analizar mediante una computadora su relación con varios cuerpos celestes. Hawkins había aplicado la misma técnica en 1963 para deducir la clave astronómica de Stonehenge (pág. 87). El astrónomo escogió noventa y tres hitos lineales y elaboró un programa para situarlos en relación a las posiciones del Sol, la Luna, la constelación de las Pléyades y las cuarenta y cinco estrellas más brillantes del firmamento. Después de estudiar las correlaciones en cada siglo desde el año 5000 a.C. hasta el presente, Hawkins no descubrió, sorprendentemente, ninguna relación significante entre las líneas y el firmamento: «Desde el punto de vista astronómico –escribió– el sistema es aleatorio.»

La inescrutabilidad del desierto de Nazca no pudo contener el flujo de teorías imaginativas. Los investigadores han sugerido que las líneas eran utilizadas para la coreografía de danzas rituales o como pistas para carreras pedestres, o para extender filamentos para tejer. Un escultor propuso que las figuras de animales podían ser ejemplos prescientes de arte minimalista moderno. En lo que podría considerarse una teoría sobre control de natalidad, el estudioso William Isabell aseguraba que el acto de construir las líneas, al suponer un gran esfuerzo físico, servía como un control de la población de Nazca y evitaba que ésta creciera demasiado para que su entorno, pobre en recursos, pudiera darle sustento.

Aun así, por falta de pruebas, ninguna de estas propuestas ha satisfecho a los investigadores de Nazca. Nuevas explicaciones continuaron apareciendo en las décadas de los setenta y de los ochenta. Varias de ellas se basaban en las costumbres religiosas conocidas, tanto de los incas como de las tribus indias que todavía habitaban el altiplano andino en el Perú, Bolivia y Chile. El estudioso estadounidense Johan Reinhard, por ejemplo, sugería en 1985 que las líneas y figuras tenían que ver con una forma de adoración de la montaña. Según esta teoría, los nazca habrían asociado los distantes Andes con la lluvia y la fertilidad –una presunción muy razonable, ya que los ríos intermitentes que fluyen por el desierto provienen de las montañas. Un cierto número de dibujos hallados en Nazca –incluyendo un cormorán, una rana, un pato y una orca– representan animales acuáticos y se asocian con la fertilidad en la cultura andina actual.

Varios investigadores, incluidos el explorador y escritor británico Tony Morrison y los antropólogos de la universidad de Illinois Anthony Aveni y Gary Urton, ven un paralelismo intrigante entre las líneas radiales que emanan de los «centros de rayos» y motivos similares hallados en otras áreas de los Andes. Los indios andinos de hoy siguen la tradición inca de caminar a lo largo de líneas o «ceques» como las de Nazca por motivos tanto espirituales como también prácticos. Según algunas autoridades, cada tribu o gran familia nazca podría haber tenido su propio centro de rayos y su conjunto de líneas, con formaciones mayores cuanto más alto se encontraran en la escala social.

Como tantas otras teorías, la propuesta de las «ceques» carece de suficientes pruebas; los dibujos de Nazca parece que se resistan a desvelar la respuesta final. Igualmente testaruda en consevar su misterio parece la miríada de figuras de ese estilo que se extienden por todo el globo, algunas de ellas en lugares poco menos misteriosos que el desierto de Perú.

En 1923, a unos 5.000 kilómetros al norte de Nazca, el coronel Jerry Phillips, del cuerpo aéreo de la marina de los

# Una rueda para observar los cielos

En lo alto de las montañas de Bighorn en Wyoming, sobre la superficie rocosa de una meseta barrida por el viento, yace el fantasmagórico perfil de una rueda radiada de veintiocho pies de diámetro. Círculos pedregosos parecidos aparecen en Saskatchewan, en Arizona, y en otros cincuenta enclaves en los llanos de Norteamérica. Algunos tienen unos pocos metros de diámetro, otros son cientos de veces mayores. Todos se encuentran en lugares elevados.

Las ruedas son de construcción simple: delgadas hileras de piedras que forman un reborde, un eje y unos cuantos radios. Algunas tienen piedras apiladas, llamadas montones, en el centro y alrededor de los círculos exteriores. La rueda mágica de Bighorn –llamada así porque, para los indios norteamericanos, cualquier objeto con propiedades espirituales tenía magia– es la mejor conservada y la más conocida.

Los historiadores imaginan que los indios de las llanuras hicieron este círculo en el siglo XII, pero no pueden asegurarlo. Ni conocen los investigadores tampoco la finalidad exacta de ninguna de esas ruedas, aunque algunas pistas puedan derivarse de su orientación.

En la rueda de Bighorn, por ejemplo, un observador que mire desde el montón que hay en primer plano (*arriba*) hacia el eje, verá el Sol naciente en la mañana del solsticio de verano. Un segundo montón marcaría la puesta del Sol en el mismo día. Otros montones de rocas apuntan hacia la salida y la puesta de tres estrellas brillantes durante los cambios de estación.

Tales alineaciones hacen pensar a algunos teóricos que las ruedas mágicas, como sus inmensos parientes megalíticos europeos, eran en realidad observatorios astronómicos. Esta opinión se ve reforzada por el hecho de que todas estas ruedas están situadas cuidadosamente para ofrecer vistas claras del horizonte. Además, los montones que hay en algunas de las ruedas forman bases que podrían haber sostenido postes verticales, de forma que originariamente estos lugares habrían sido versiones en madera de Stonehenge, en Inglaterra.

Pero permanecen interrogantes cruciales. ¿Por qué necesitarían observar el cielo los indios de las llanuras? Las tribus agrícolas podrían haber necesitado seguir un control de las estaciones, pero las gentes nómadas de las llanuras vivían de la caza del bisonte. ¿Podrían recordar un tiempo anterior cuando cultivaban? ¿O el solsticio marcaba la llegada del verano, tiempo para empezar a contar los días hasta iniciar su migración hacia el sur?

Tales preguntas quedarán a lo mejor sin respuesta. Como los constructores de tantas marcas terrestres, los que hicieron las ruedas medicinales han desaparecido, sin dejar a las generaciones venideras ninguna clave de sus extraños monumentos.

Estados Unidos de América, volaba en un biplano descubierto de la Primera Guerra Mundial a unos 1.500 metros por encima del desierto del Mojave. Cerca de la pequeña población de Blythe, California, echó un vistazo al árido paisaje. «Casi no podía creer lo que veía» –diría más tarde. Esparcidas por el desierto, lejos de la civilización, se encontraban esas figuras gigantescas de un hombre y un animal con una larga cola.

Los informes sobre el llamado «gigante de Blythe» se sucedieron en las décadas siguientes, impulsando a los científicos y a otros investigadores a observar con más detenimiento la poco conocida parte suroeste del desierto. Allí, a lo largo del árido valle inferior del río Colorado, han descubierto 275 geoglifos, símbolos oscuros y extraños, dibujos infantiles de animales y personas. La superficie del Mojave, como la del desierto de Nazca, está cubierta por rocas teñidas con un lustre oscuro a causa del sol. Al parecer, como los nazca, los artistas del Mojave usaron la misma técnica consistente en apartar esos pedruscos para crear sus enigmáticos mensajes.

La mayoría de las marcas del desierto han sido descubiertas a partir de la década de los setenta, gracias al esfuerzo incansable del arqueólogo Jay von Werlhof y de su colaborador, el granjero y piloto local Harry Casey. En avión y a pie, han explorado miles de kilómetros cuadrados del ardiente suelo que los primeros exploradores españoles dieron en llamar «la tierra del muerto». Su objetivo es catalogar y describir cada marca existente en esta región. «Crea adicción –ha dicho Casey refiriéndose a su búsqueda–. Cuanto más sabes, más quieres saber.»

Von Werlhof y sus colegas arqueólogos creen que las figuras halladas en el Mojave fueron creadas con propósitos místicos por los indios que habitaron el desierto durante más de 5.000 años. Según sus estimaciones, la más antigua de las figuras data del año 3.000 a.C. y la más reciente de finales del siglo XVIII. Unas configuraciones más antiguas, conocidas como alineaciones de rocas –líneas zigzagueantes hechas con cantos colocadas juntas formando diseños abstractos– pueden tener más de 10.000 años de antigüedad.

Los investigadores ofrecen diversas interpretaciones de la fantástica meseta de Blythe, cuya antigüedad ha sido cifrada entre doscientos y mil años. Según las leyendas transmitidas generación tras generación por los indios mojave, la foma humanoide representa un gigante maligno que aterrorizaba a sus antepasados. De la figura animal, que parece flotar cabeza abajo sobre la cabeza del hombre, dicen que se trata de un león de las montañas al que el dios creador de los mojave habría conferido un gran poder y habría sido situado allí para debilitar el espíritu del gigante. Una teoría menos dramática sugiere que el gigante es una especie de señal gráfica de «no pasar» colocada por los indios hopi para mantener a los intrusos alejados de su territorio.

Muchas de las figuras animales parecen haber retenido un significado espiritual para los habitantes del desierto. Una serpiente de cascabel con ojos de basalto de unos sesenta metros de longitud tiene, según los hechiceros mojave, poderes para el bien y para el mal que pueden transmitirse a los humanos. Una figura cerca de Yuma, Arizona, representa claramente un caballo, un animal desconocido para los indios del suroeste antes de la llegada de los europeos. Los arqueólogos creen que los indios hicieron dicha imagen poco después de que los exploradores españoles cabalgaran a través de la zona en 1540 y que desde entonces usaron el desierto como lugar de celebración de sus ceremonias. Otra figura, no descubierta hasta julio de 1984, es la sorprendente imagen de un pescador que parece estar bailando sobre las aguas mientras apunta a dos peces con una lanza. La punta de la lanza está hecha con cientos de trozos de cuarzo brillante y podría haber sido diseñada para transmitir poderes mágicos a pescadores reales.

Como sus contrapartidas en Nazca, las figuras del Mojave servían al parecer para diversos propósitos y al menos algunas de ellas podrían haber sido referencias astronómicas. Una alineación de rocas a lo largo del río Gila en Arizona, por ejemplo, apunta precisamente hacia la salida del Sol en el solsticio de verano. Otra, conocida como el círculo de danza de Black Point, podría haber sido diseñada como un mapa del Sol, la Luna y la Vía Láctea. El conocimiento de los cielos podría haber proporcionado a los indios un calendario con el que planificar su cultivo y su irrigación –una información que resultaría vital en un entorno tan adverso.

Fuera cual fuera el propósito de sus geoglifos, elaboradamente dibujados, los indios de los desiertos del Mojave y de Nazca tuvieron la suerte de disponer de unas pizarras naturales ideales sobre las cuales grabar sus signos. Los nativos de los bosques templados del medio oeste y sur americano no fueron tan afortunados, pero aun así se las arreglaron para marcar el paisaje con impresionantes figuras de animales. Como sus equivalentes del desierto, estas imágenes también se pueden apreciar mejor desde el aire, pero a diferencia de las otras, son también visibles desde el suelo ya que se alzan de la tierra en grandes masas esculpidas.

Los pioneros que se internaron en el valle de Ohio en la década de 1780 quedaron perplejos por la presencia de promontorios grandes y de factura obviamente humana. Se vieron incluso más maravillados al descubrir que algunos de ellos tenían formas de animales –siendo el más espectacular de todos el de una serpiente sinuosa de medio kilómetro que se arrastraba en lo alto de un risco, cerca del actual pueblo de Pebbles, en Ohio. También se hallaron colinas de este tipo por todo el valle del rio Misisipí, donde los exploradores encontraron, cerca del actual emplazamiento de East St. Louis, Illinois, un inmenso montículo truncado parecido a la base de una pirámide egipcia.

Atemorizados por el tamaño de esas obras y conscientes del esfuerzo que habría requerido su elaboración, los colonos blancos especularon sobre sus constructores. Parecía poco probable que los simples indios bosquimanos que habitaban la región hubieran sido capaces de construir unas estructuras tan imponentes. En vez de ello, los observadores coincidieron en que las colinas fueron producto de alguna noble raza desaparecida, cuya civilización hubiera sido destruida por tribus invasoras, de la misma manera como Roma fue arrasada por los bárbaros. Así pues, según las numerosas versiones del tema, las colinas pueden haber sido construidas por los descendientes de los supervivientes del diluvio, o por inmigrantes del continente perdido de la Atlántida, o por tribus perdidas de Israel mencionadas en el Antiguo Testamento. O a lo mejor son monumentos erigidos por pastores de la India, por una raza de gigantes, por griegos, romanos, egipcios, fenicios o vikingos que, en un pasado remoto, hubieran de algún modo llegado al continente norteamericano.

Las misteriosas efigies atrajeron muchos aficionados a la incipiente ciencia de la arqueología americana. Uno de los más pintorescos de ellos fue William Pidgeon, un mercader ambulante y coleccionista de objetos indios. Delgado, con gafas y de aspecto severo, Pidgeon era en realidad un típico romántico decimonónico, dedicado a descubrir los secretos perdidos de las razas nobles que, según creía, una vez habitaron las Américas. Su pasión por la arqueología le llevó a través de Norte y Sudamérica, y aseguraba que tenía datos detallados sobre culturas indias de ambos continentes. En la década de 1830, se estableció en un lugar llamado Fort Ancient, con vistas sobre el río Little Miami en Ohio. El fuerte era en realidad un gran promontorio –uno más de los que Pidgeon consideraba «estupendos y maravillosos» restos de una civilización perdida. En una exploración que llevó a cabo para descubrir más sobre esas notables obras, el mercader construyó una pequeña embarcación y en 1840 emprendió su viaje por la maraña de ríos y lagos que se extienden al oeste de los Grandes Lagos.

Lo que vio le abrumó. Los bosques estaban poblados por multitud de efigies animales –montículos de tierra con forma de panteras, lagartos, tortugas, halcones y, en un risco de Iowa, lo que parecía una familia completa de osos marchando en fila india. En el asentamiento comercial de Prairie la Crosse, en el curso superior del Misisipí, Pidgeon contaría más tarde, conoció a De-coo-dah, un hechicero que se enterneció de inmediato por su pálida tez y su insaciable curiosidad sobre la forma de vivir de los indios. El viejo acogió a Pidgeon bajo su protección y empezó a instruirlo en las tradiciones de su tribu. En un aspecto se expresó con diáfana claridad: cuando sus antepasados habitaban el territorio, la caza era muy abundante y eso les proporcionaba suficiente tiempo libre para construir sus esculturas de tierra. «La cara de la tierra es el libro del piel roja –le explicó– y esos montículos y diques son algunas de sus letras.» Pidgeon dijo que impresionó al hechicero lanzando su paleta al río y prometiéndole que nunca más profanaría los lugares de sus hermanos pieles rojas. Pero ignoró la cuestión principal, quedándose con su idea inicial de que los montículos sólo podían haber sido construidos por una raza superior.

Sin embargo, Pidgeon podría haberse acercado a la realidad en algunos de sus cálculos. Por ejemplo, aceptó la explicación de De-coo-dah de que las efigies de serpientes como la serpiente gigante de Peebles, Ohio, tenían carácter astronómico. Como le explicara su mentor indio, cuando «los adoradores de reptiles fueron reducidos por los avatares de la guerra, y obligados a adorar el Sol, la Luna y los cuerpos celestes como únicos objetos dignos de adoración, secretamente enterraron sus dioses en los símbolos terrestres que representaban dichos cuerpos celestes».

Hasta finales del siglo XIX no se admitió que los constructores de los montículos y los indios contemporáneos pertenecían a la misma raza. En la década de 1880, un etnólogo del gobierno llamado Cyrus Thomas estudió más de 2.000 emplazamientos indios por el este y el medio oeste norteamericano. Su exhaustivo trabajo de campo supuso el primer estudio global de los indios norteamericanos. Basada en leyendas tribales, los relatos de los primeros exploradores y el propio examen físico de más de 4.000 objetos, la afirmación de Thomas de que los indios eran descendientes de los construtores de montículos quedó fuera de dudas.

Los arqueólogos dividen a estos constructores de montículos en tres culturas: adena, hopewell y misisipí. Bautizada con referencia a un montículo situado en Ohio, la cultura adena se ubicaba en la parte superior del medio oeste y existió entre el 1000 a.C. y el 200 d.C. Su gente construyó montículos funerarios y efigies de animales, la más conocida de las cuales es el estremecedor montículo de la Gran Serpiente, en Ohio. La cultura hopewell, que se solapó y de hecho acabó reemplazando a la adena, tuvo su apogeo entre el año 200 y el 550 a.C. –aproximadamente el mismo período que la nazca. Hábiles artesanos y comerciantes, los hopewell y sus más inmediatos sucesores construyeron la mayoría de las grandes efigies terrestres y estructuras con aspecto de fortaleza que tanto maravillaron a Pidgeon y a otros arqueólogos.

La última y también la mayor de las culturas de constructores de montículos fue la misisipí, que tuvo sus orígenes alrededor del año 600 d.C. y que dominó a la sociedad aborigen durante el milenio siguiente. La mejor representación de sus logros la constituía Cahokia, una importante metrópoli precolombina que se encontraba en el actual East St. Louis, donde se halla la extraña pirámide que sorprendió a los primeros exploradores. La sociedad de los misisipí fue, con diferencia, la más elaborada y estructurada de las tres, y sus edificios fueron los mayores.

Los misisipí tuvieron la desgracia de ser testigos de la llegada de los blancos, en la persona de Hernando de Soto y sus conquistadores, quienes atravesaron en 1539 lo que ahora es el sudoeste de los Estados Unidos. Los españoles dejaron tras su paso una estela de muerte y destrucción. Una sola generación después, la población india de la región se había visto diezmada por la viruela y otras enfermedades. Su cultura se había desvanecido.

Persiste un misterio crucial: podemos saber quién construyó los montículos, pero no sabemos por qué. Unos 150 años después de que De-coo-dah narrara a William Pidgeon la relación entre los montículos y las constelaciones, los científicos no tienen ninguna explicación mejor. Las pruebas indirectas, por lo menos, ratifican la historia del anciano indio. Por ejemplo, el psicólogo Thaddeus M. Cowan, de la universidad de Kansas, ha apuntado que el montículo de la Gran Serpiente de Ohio puede seguir una tradición extendida en todo el mundo, en la cual la serpiente simboliza los acontecimientos celestes. La imagen tradicional de un eclipse de Luna en Asia, por ejemplo, consiste en una serpiente que se traga un huevo –el mismo acto que representa la efigie de Ohio. Cowan propuso que la serpiente representa la Osa Menor, una constelación cuyo mango termina en la estrella Polar, la estrella del norte. La prueba es intrigante: las flexiones en el cuerpo de la serpiente corresponderían a las estrellas que hay en el mango, mientras que la cola de la serpiente se enrosca con el mismo sentido de rotación que tiene la constelación alrededor de la Polar. Siguiendo el mismo criterio, Cowan relaciona otras efigies de aves y osos con la Osa Mayor y la Cruz del Norte.

Pero tales teorías no son más que especulaciones. El tiempo y los cambios han silenciado a los constructores de montículos para siempre. Sin embargo, sus espíritus permanecen todavía. En 1975, un curioso y espeluznante incidente que tuvo lugar en el montículo de la Gran Serpiente, sugirió a ciertas personas que esas culturas dejaron atrás algo más que sus inmensos monumentos.

El sociólogo Robert W. Harner atravesaba el estado conduciendo su automóvil una cálida tarde de noviembre, cuando decidió, por una corazonada, ver el montículo que había visitado por primera vez de niño. Se quedó de pie en la cabeza de la serpiente, en ese día sin viento –recordaba más tarde–, preguntándose por qué sus constructores habrían escogido un montículo tan poco apropiado para su escultura. Entonces, de repente, sintió un insoportable terror –«el terror más frío, abyecto, insufrible que he experimentado en mi vida. Sentí cómo el vello se erizaba en mi nuca. No podía moverme ni hablar. Sabía que aunque me encontraba totalmente solo, no estaba realmente solo». Paralizado por el terror, Harner dijo que sólo pudo ver cómo las hojas que se extendían a sus pies, una a una prime-

*El más famoso de los montículos americanos, la Gran Serpiente de Ohio, se desliza a lo largo de unos trescientos metr*

*ara coger una esfera con su boca. Según la leyenda, los indios moldearon la serpiente para conmemorar un eclipse lunar.*

ro y luego en pequeños grupos, se iban agrupando y empezaban a subir el risco hacia él. Sin embargo, no había viento, y aun así las hojas subían de forma antinatural hacia él, alzándose y cayendo como en pisadas. Cuando se encontraron a unos cinco o seis metros de distancia, alzaron el vuelo y se pusieron a revolotear a su alrededor en una danza macabra. Harner se forzó por escapar, girándose para buscar una cámara, pero en ese preciso instante se rompió el maleficio. «Vi que las hojas ya retrocedían colina abajo y supe que nunca podría regresar a tiempo para fotografiarlas.»

Mientras un tembloroso Harner contemplaba el incidente, no le cabía la menor duda de que estaba viendo «una pequeña porción de un mundo que creía inexistente», un mundo de espíritus que los constructores de la Gran Serpiente a lo mejor habían conocido. «Quizás –concluyó– construyeron su montículo precisamente en esa colina porque allí pasan cosas muy extrañas.»

Si hay un mundo de espíritus, y si sus habitantes son atraídos hacia estos grandes símbolos terrestres, estos espíritus puede que también se sientan cómodos en las colinas esmeralda, en el sudeste de Inglaterra. Porque allí, como en otras partes de Gran Bretaña, aparecen enormes figuras de seres humanos y de animales sobre las verdes laderas de las colinas, réplicas en el Viejo Mundo de los enigmas de Nazca y de Ohio. Creadas apartando la tierra de las colinas hasta exponer el brillante lecho de piedra caliza que yace unos pocos centímetros por debajo, las figuras británicas muestran una fijación en dos símbolos: caballos y seres humanos. Los arqueólogos creen que los habitantes de la Gran Bretaña prehistórica se enorgullecían mucho de esas efigies terrestres, la mayoría de las cuales fueron cubiertas por vegetación al transcurrir los años. Varias de ellas, sin embargo, se conservaron a lo largo de los siglos. Relatos históricos y viejas monedas encontradas en sus alrededores han llevado a algunos científicos a creer que al menos dos de las figuras –el caballo blanco de Uffington y el gigante de Cerne– pueden datar de principios de la era cristiana, cuando las islas eran gobernadas por tribus celtas paganas.

Con el nombre de un pueblo de Berkshire y situado a unos ciento veinte kilómetros de Londres, el caballo de Uffington galopa airosamente por la ladera de una colina de ciento cincuenta metros (pág. 126). Tan largo como un campo de fútbol, este estilizado corcel vuela a través del paisaje –es una obra de arte maravillosamente dinámica.

Como varias otras efigies británicas, el caballo de Uffington yace cerca de una antigua fortificación que hay en la cima de la colina; algunos estudiosos especulan con la posibilidad de que la imagen fuera utilizada como un emblema tribal para intimidar a sus enemigos. Sin embargo, resulta más intrigante la posibilidad que sugiere su asociación con Dragon Hill (colina del dragón), una cima allanada que se encuentra a continuación, en dirección al norte. Allí, según la leyenda, san Jorge, patrón de Inglaterra, mató a un dragón. Según algunos arqueólogos, cuando los celtas occidentales se convirtieron al cristianismo, adoptaron a san Jorge en sustitución de un semidiós pagano anterior asociado a los caballos. Es incluso posible que el propio caballo fuera inicialmente concebido como un dragón. Los estudiosos hacen notar sus mandíbulas en forma de pico que recuerdan una anterior forma de reptil. A setenta millas de distancia, en la ladera de una colina en Dorsetshire, yace el gigante de Cerne, de 60 metros de altura (pág.127). Esta figura, que blande un enorme bastón, fue conocida durante siglos como el Hombre Maleducado de Cerne a causa de su evidente desnudez. Como el caballo de Uffington, la figura es un misterio.

Sea cual fuere su papel, el gigante de Cerne y otras figuras dibujadas en las colinas influyeron en las vidas de los nativos, manteniéndolos en contacto con su tierra y con una larga tradición espiritual. Relatos del siglo XVII explican que cada siete años, el domingo de Pentecostés, el séptimo domingo después de Semana Santa, los habitantes de Uffington se reunían para restaurar el gran caballo blanco podando la vegetación acumulada. Una fiesta con mucha bebida y confraternización que duraba hasta bien entrada la noche.

Otras representaciones de inmensos caballos y gigantes están esparcidas por las colinas gredosas de Inglaterra, y a diferencia del caballo de Uffington y del gigante de Cerne no encierran ningún misterio relacionado con su origen o su propósito. Excepto unas pocas, todas datan de los siglos XVIII y XIX y fueron creadas por los propios nativos para decorar el paisaje. Sin embargo, al dibujar sobre la tierra, los propietarios de los terrenos seguían una tradición de miles de años, una arraigada necesidad de dejar su marca.

Las antiguas figuras de las colinas británicas, las efigies terrestres americanas, el inescrutable caos de líneas de Nazca, todos nos hablan a través de los siglos retando a los estudiosos profesionales y a los entusiastas aficionados a que descubran sus secretos. A pesar de algunas teorías plausibles, el abismo de tiempo y de culturas es tan grande que, como Maria Reiche dijo de las líneas del desierto de Nazca, «nunca conoceremos todas las respuestas». Enfrentados a tan extraños y complejos fenómenos, los estudiantes más dedicados se muestran humildes.

***Los objetos hallados en los montículos indios se añaden al misterio de los primeros pobladores de América. Este disco de arenisca, desenterrado en Alabama, podría haber sido utilizado en rituales guerreros. Todavía se sabe menos del gato de doce centímetros hallado en Florida (página anterior)***

# Geoglifos para los dioses

**Cuando los hermanos Wright elevaron en 1903 su pequeño aeroplano sobre las arenas de Kitty Hawk, Carolina del Norte, no sólo abrieron los cielos sino también la tierra. Los primeros aviadores descubrieron para su deleite que el vuelo transformaba un mundo familiar y le daba nuevas formas y texturas misteriosas. A medida que la aviación progresaba en las décadas de los veinte y los treinta, los pilotos que sobrevolaron las pistas del Perú, el suroeste de los Estados Unidos o las colinas redondeadas de Inglaterra empezaron a ver maravillas. Obras de arte gigantescas –inmensas figuras geométricas, humanoides con ojos de búho, enormes caballos galopantes– surgieron del paisaje anónimo con sorprendente viveza. Algunos de ellos parecían escudriñar casi implorantes el cielo, como si buscaran los ojos de los dioses.**

**Y ahí radica su misterio. Quizás no sepamos nunca por qué o para quién crearon los habitantes de la meseta de Nazca o de las colinas británicas estos dibujos sobre la tierra. Pero mediante la moderna magia de la fotografía aérea, podemos ver las imágenes de la manera para la cual fueron concebidas, desde el aire.**

**La fotógrafa estadounidense Marilyn Bridges es una maestra en este arte. Cautivada por la experiencia de fotografiar las líneas de Nazca en Perú a finales de los setenta, continuó retratando desde el cielo muchos de los más famosos dibujos sobre tierra del mundo. Sus métodos son temerarios. Acercándose a la tierra hasta lo que un amigo llama una «altura de bruja» de 65 metros, sus alas se inclinan en un ángulo de cincuenta grados para obtener la mejor perspectiva. Sus aviones vuelan a tan poca velocidad que a menudo corren el riesgo de no sostenerse en el aire. Bridges prefiere trabajar con la luz del amanecer o del atardecer, la cual proporciona sombras alargadas y dramáticas. De forma similar, utiliza películas en blanco y negro para sacarles el mejor partido a los contrastes de la naturaleza y del arte. Las páginas siguientes contienen una serie de ejemplos de sus imágenes.**

---

*El triángulo aflechado de casi un kilómetro de longitud es a veces definido como una pista de aterrizaje para naves espaciales, pero la mayoría cree que se trataba de una guía astronómica o de un lugar de reunión para actos rituales.*

*Un estilizado colibrí es una de las dieciocho figuras de aves grabadas sobre la meseta de Nazca. Estos dibujos podrían simbolizar cambios de estación. El pico de este ejemplar, de unos 40 metros, apunta a la salida del Sol en el solsticio de invierno.*

*Cubierta por las huellas de automóviles, la forma anatómicamente precisa de una araña nazca abarca 50 metros de desierto. Como la mayoría de los dibujos peruanos, está formada con una línea continua que muchos creen que sirvió como ruta ceremonial.*

*Un trapezoide borra parte de un pájaro de 100 metros y de una flor cercana (página anterior). Las formas geométricas cubren a menudo las figuras animales en el llano de Nazca, quizás con un propósito simbólico.*

---

*El hombre-búho (fotografía inferior) vigila otras figuras nazca. Podría contener un mensaje: un brazo apunta hacia el cielo, el otro a la tierra. De estilo primitivo, podría ser anterior a los dibujos de animales.*

*El caballo de Uffington, de 120 metros de longitud, galopa por una colina calcárea cerca de Swindon, en el suroeste de Inglaterra. Datada posiblemente del 100 a.C., esta efigie es la más antigua de las más de cincuenta existentes en Gran Bretaña.*

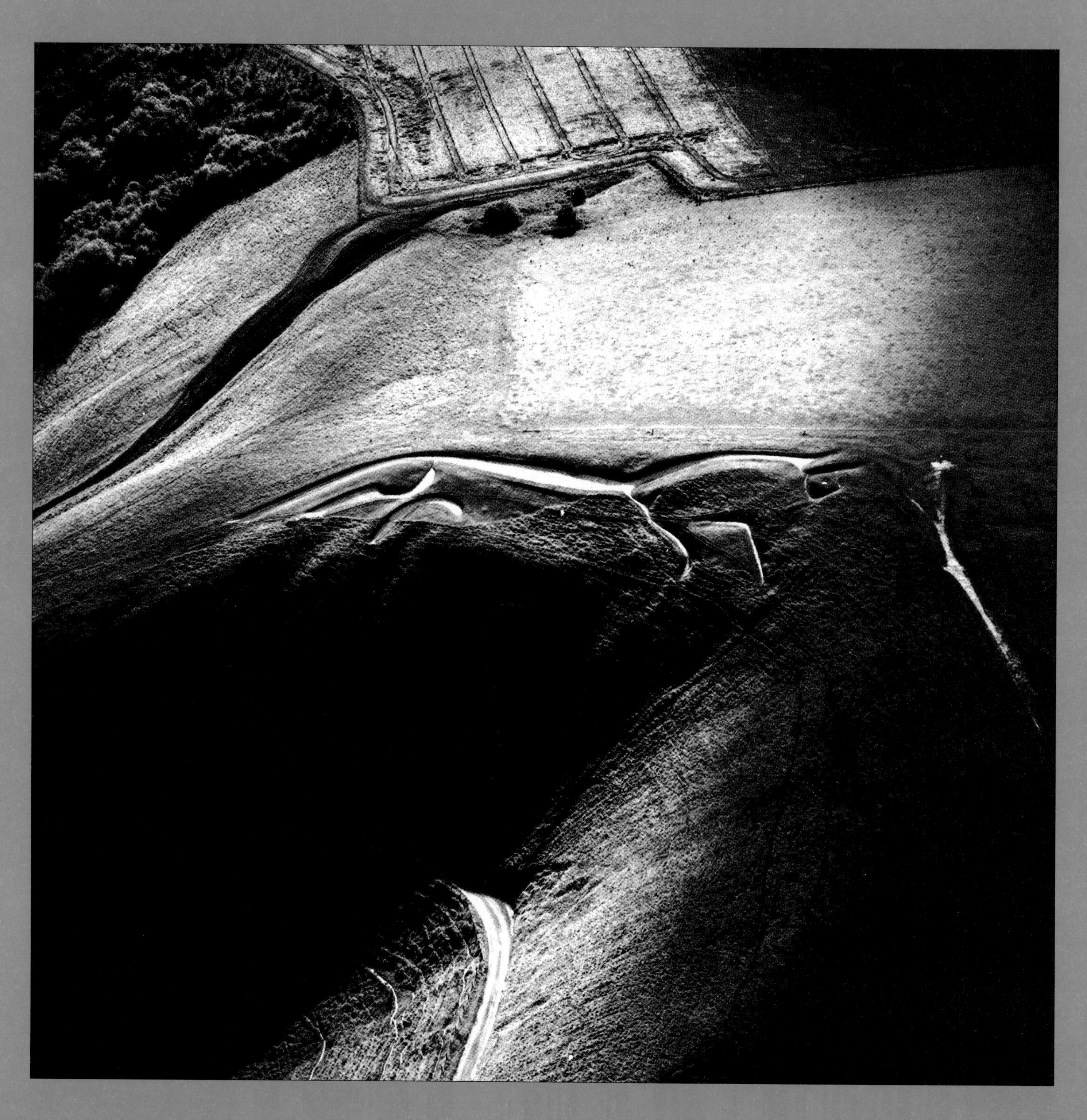

*Una valla moderna protege al gigante de Cerne y su cercado. Durante siglos, los ritos del primero de mayo se celebraban en su recinto. Estructuras antiguas parecidas se hallan cerca de otros dibujos de este tipo.*

## CRÉDITOS DE LAS ILUSTRACIONES

*Las fuentes de las ilustraciones de este libro son las indicadas abajo. Las referencias respecto a su situación, de izquierda a derecha, están separadas por punto y coma; y, de arriba a abajo por guiones de inciso.*

Cubierta-13: Dibujo de Lloyd K. Townsend. 15: Dibujo de Fred Holz. 16: Mapa de William Hezlep. 17: Dibujo de Lloyd K. Townsend. 18, 19: The Granger Collection, Nueva York; Ullstein Bilderdienst, Berlín (Oeste) - cortesía de The American School of Classical Studies at Athens. 22: Minnesota Historical Society. 23: The Historical New Orleans Collection, Museum/Research Center, Acc. No. 1960.14.76. 25: BPCC/Aldus Archive, London - Mary Evans Picture Library, Londres. 26: de *Atlantis Mother of Empires* de Robert B. Stacy-Judd, De Vorss & Co., 1973, Los Angeles. 27: Mary Evans Picture Library, Londres. 29: The Bettmann Archive. 31: Cortesía de Edgar Cayce Foundation. 32, 33: Fred Maura/The Counsellors Ltd., Nassau, Lady Hargreaves, London, cortesía de Sandra Buckner, Nassau. 34: Dr. Harold Edgerton/MIT. 35: National Archeological Museum, TAP Service, Atenas. 37-45: Dibujo de Richard Schlecht. 47: Dibujo de Fred Holz. 48, 49: de *Atlantis Mother of Empires* de Robert B. Stacy-Judd, Devorss & Co., 1973, Los Angeles. 50, 51: Mary Evans Picture Library, Londres. 52-53: *First Kiss of the Sun* de Jean-León Gérôme, ACR Edition, private collection, Courbevoie, París. 54: de *A Collection of Voyages and Travels*, A. y J. Churchill, 1732, London, cortesía de British Library, Londres. 55: de *Description de l'Egypte*, Comission des Sciencies et Arts, Imprimerie Imperiale, 1809-1828, París, cortesía de Bibliothèque Nationale, París. 56: Robert Azzi/Woodfin Camp - *The Questioner of the Sphinx*, Elhiu Vedder, 1863, Museum of Fine Arts, Boston. 58, 59: de *Pamphlet of Extracts from the 13th Volume of the Astronomical Observations Made at the Royal Observatory, Edimburgh*, Neill & Co., 1872, Edimburgo, cortesía de The Library of Congress. 62; BBC Hulton Picture Library, Londres. 64, 65: Marle Lehner. 67: John Glover, Witley, Surrey. 68, 69: Adam Woolfitt/Woodfin Camp. 70, 71: John Glover, Witley, Surrey. 72, 73: Fred Mayer/Magnum. 74, 75: James Sugar/Black Star. 77: Dibujo de Fred Holz. 79: *The Illustrated London News Picture Library*, Londres. 80, 81 de *The Most Notable Antiqui of Great Britain Vulgarly Called Stone-Heng on Salisbury Plain, Restored by Inigo Jones, Esquire, Architect General to the Late King, by Inigo Jones*, reproducido por D. Browne, et al., 1725, London. 82, 83: Fay Godwin, Londres. 84, 85: Bodleian Library, Ms. Top gen b53 f36v, f37r, Oxford. 86: de Philip Croker's sketchbook of Upon Gold Barrow, 1803, cortesía de Wiltshire Archaeological and Natural History Society, Devizes. 88: Gerald S. Hawkins. 89: C. M. Dixon, Canterbury, Kent. 91: Marilyn Bridges. 93: Adam Woodfin Camp. 95: Dibujo de John Thompson. 96-101: Mapas de John Drummond, dibujo de John Thompson. 103: Dibujo de Fred Holz. 105: Maria Reiche Collection/South American Pictures, Woodbridge, Suffolk. 107: Larry Dale Gordon/The Image Bank. 180: Mary Evans Picture Library, Londres - Armando Sales Portugal. 110-111: Larry Dale Gordon. 112: ©National Geoghraphic Society de Thomas Hooper. 116, 117: Tony Linck/Shostal Associates. 118: Aldo Tutino. 119: ©Dirk Bakker. University of Alabama Museum of Natural History. 121-129: Marilyn Bridges.